Arriver à Stockholm

Depuis Arlanda (ARN)

45 km au nord de Stockholm.
✆ 010 109 10 00 - www.swedavia.se/arlanda

➔Train

Arlanda Express – Le plus rapide. 20mn direct jusqu'à la gare centrale de Stockholm (reliée à la station Ⓜ T-Centralen, centre névralgique du réseau). Arrêt sous les terminaux 2, 3, 4 et 5. 490 SEK A/R, billet w.-end 325 SEK A/R (achat online), 18-25 ans voyageant seuls et retraités 260 SEK ; gratuit jusqu'à -18 ans voyageant avec un adulte. Les billets s'achètent dans des distributeurs, à la sortie du terminal ou en haut des escalators qui descendent sur la voie. Carte bancaire acceptée. ✆ 0771 720 200 - www.arlandaexpress.com

➔Bus

Flygbussarna – Le moins cher. 40mn jusqu'à la gare centrale ; plusieurs arrêts possibles avant le terminus. 198 SEK A/R (12-25 ans 158 SEK). Distributeur et guichet à la sortie du terminal.
✆ 0771 51 52 52 - www.flygbussarna.se

➔Taxi

Les compagnies ont un tarif fixe. Préférez les grandes compagnies (p. 10) afin d'éviter les taxis au noir qui peuvent réserver de mauvaises surprises. Comptez environ 500 SEK entre Arlanda et le centre-ville, et environ 30mn de trajet.
Pour info, 1 € = environ 9 SEK.

Depuis Bromma (BMA)

10 km à l'ouest de Stockholm.
✆ 010 109 40 00 - www.swedavia.se/bromma

➔Bus

Flygbussarna – 20mn jusqu'à la gare centrale. 150 SEK A/R (12-25 ans 110 SEK). Arrêt de bus, distributeur et guichet à la sortie du terminal.

➔Taxi

Préférez les grandes compagnies. Si la circulation est fluide, comptez 15mn jusqu'au centre-ville. Environ 200 SEK.

Depuis Skvasta (NYO)

105 km au sud-ouest de Stockholm. Aéroport de desserte pour la compagnie Ryanair. ✆ 0155 28 04 00 - www.skavsta.se

➔Bus

Flygbussarna – 1h20 jusqu'à la gare centrale. 268 SEK A/R (12-25 ans 228 SEK). En sortant de l'aéroport tout de suite à droite. Distributeur de billets à la sortie de l'aéroport.

Depuis Västerås (VST)

100 km au nord-ouest de Stockholm. Aéroport des compagnies low-cost.
✆ 021 80 56 00 - www.vst.nu

➔Bus

Flygbussarna – 1h15 jusqu'à la gare centrale. 268 SEK A/R (12-25 ans 228 SEK). À la sortie du terminal.

Applications recommandées

Station de métro.

NordicPhotos/age fotostock

Destination Stockholm

Préparez votre voyage

Formalités d'entrée

Pièce d'identité – Pour les ressortissants de l'Union Européenne et les Suisses, carte d'identité ou passeport en cours de validité.

Visa – Les ressortissants de l'Union Européenne et les Suisses n'en ont pas besoin.

Douane – En vertu de l'accord de Schengen, aucun contrôle n'est effectué lors du passage de la frontière avec l'un des états de l'Union Européenne. Si vous arrivez d'un pays n'en faisant pas partie, vous devez passer la douane et déclarer les marchandises que vous apportez.

Venir en avion

Quatre aéroports desservent Stockholm. Le principal est **Arlanda** (ARN). **Bromma** (BMA) dessert essentiellement des destinations domestiques, mais a une liaison avec la Belgique. Les deux aéroports utilisés par les compagnies low-cost, **Skavsta** (NYO) et **Västerås** (VST) sont à près d'une centaine de kilomètres du centre de Stockholm. Tous sont reliés à la gare centrale de Stockholm.

Accès au centre-ville depuis ces aéroports et coordonnées p. 1.

Les compagnies régulières

Depuis Paris, Bruxelles ou Genève, le vol dure environ 2h30.

Air France – Vols vers Arlanda depuis Paris. ✆ 36 54 - www.airfrance.fr

SAS – Vols vers Arlanda depuis Paris, Biarritz, Nice et Genève. www.flysas.com

Brussels Airlines – Vols vers Bromma depuis Lyon, Marseille, Nice, Bruxelles et Genève. www.brusselsairlines.com

Swiss International Air Lines – Vols vers Arlanda depuis Genève et Zurich. www.swiss.com

Les compagnies low-cost

Les réservations se font généralement directement sur le site Internet des compagnies.

Norwegian – Vols directs pour Arlanda depuis Bordeaux, Grenoble, Marseille Nice, Paris et Genève. www.norwegian.com

EasyJet – Vols vers Arlanda depuis Genève. www.easyjet.com

Ryanair – Vols (parfois saisonniers) vers Skavsta depuis Béziers, Biarritz, Marseille, Paris Beauvais et Bruxelles. www.ryanair.com

Argent

Devise – La monnaie officielle est la **couronne suédoise** (une *krona*, plusieurs *kronor*, abréviation SEK) ; 1 krona = 100 öre.

Monnaie – Il existe des billets de 20, 50, 100, 500 et 1 000 SEK et des pièces de 1, 5 et 10 SEK.

Change – Depuis 2011, le taux de change oscille entre 8,70 et 10,20 couronnes pour 1 €. Change de devises dans les agences Forex (www.forex.se) ou X-change (www.x-change.se).

« Banques » p. 7.

Cartes de crédit – La plupart sont acceptées (avec quelques restrictions pour American Express), dans les magasins et les *Bankomat* (distributeurs de billets). Les retraits sont soumis à une commission bancaire : renseignez-vous auprès de votre banque.

Saisons

Les saisons et leurs températures – Les saisons suivent quasiment au jour près le calendrier. Le climat stockholmois est tempéré, plutôt sec et pas toujours aussi rigoureux qu'on l'imagine.

En janvier, il fait au moins 20 degrés de plus qu'à la même latitude au Canada. Les records de température à Stockholm sont de 38 °C au maximum et -32 °C au minimum, températures mesurées il y a deux siècles. Entre décembre et février, la température moyenne oscille en -1 et -5 °C. Entre juin et août, elle varie de 11 à 22 °C. À partir de mi-mai, Stockholm connaît une transformation radicale, avec une explosion de verdure. Même si les journées peuvent être belles et chaudes l'été, il fait vite frais dès que le soleil tombe.

Glace – Les hivers froids, vous pourrez marcher sur la glace entre les îles de Stockholm. Une expérience inoubliable. Une épaisseur de glace de 5 cm suffit pour marcher dessus. Pour être sûr de vous, observez les Stockholmois…

Attention au soleil ! – S'il n'y a pas de soleil de minuit à Stockholm, prenez toutefois garde à sa force. Le trou dans la couche d'ozone étant plus grand dans la zone nordique, les rayons ultraviolets du soleil sont moins filtrés et frappent plus durement.

Durée du jour – Le nombre d'heures d'ensoleillement s'élève à 1 800, soit quelques heures de plus que Paris !
En juin-juillet, le soleil se lève vers 3h45 et se couche vers 22h. Mais en janvier, le soleil se lève à 8h45 et se couche à 14h55.

Pour choisir votre date de séjour, voir aussi l'« Agenda culturel » p. 14.

Pour en savoir plus

Avant de partir

www.sweden.se – Portail officiel de la Suède. Une mine de renseignements.

www.visitstockholm.com – Site de l'office du tourisme de Stockholm. La version en français est moins complète qu'en suédois ou en anglais.

www.visitsweden.com – Site de l'office du tourisme suédois. Également en français.

www.photos-suede.com – Forum francophone où sont abordées de nombreuses questions liées au voyage et à l'accueil.

Sur place

Office du tourisme de Stockholm – Vasagatan 14 - Ⓜ T-Centralen - 08 508 28 508 - lun.-vend. 9h-19h, sam. 10h-17h, dim. 10h-16h - fermé 1er janv., 24 et 25 déc.
Dispose d'un guichet à l'aéroport d'Arlanda. 300 bornes interactives **Stockholmspanelen** (gratuit) sont à disposition dans les lieux touristiques (dont la gare centrale et certains hôtels).

Votre séjour de A à Z

Ambassades

France – Kommendörsgatan 13 - lun.-jeu. 9h-12h30 - ✆ 45 95 300 - http://ambafrance-se.org
Belgique – Kungsbroplan 2 - ✆ 534 80 200 - lun.-vend. 9h30-12h30 et 13h30-16h - www.diplomatie.be/stockholmfr
Suisse – Valhallavägen 64 - lun.-vend. 9h-12h - 676 79 00 - www.eda.admin.ch/stockholm

Banques

Les principales banques suédoises ou nordiques sont Handelsbanken, Swedbank, Nordea et SEB. Des agences se trouvent partout en ville. Les **distributeurs** sont marqués « Bankomat ».
« Horaires » ci-dessous.

PAS DE PANIQUE !
Appel d'urgence européen : ✆ 112
Police : ✆ 114 14
Médecins 24h/24 : ✆ 112
SOS dentiste : ✆ 08-54551220
Objets trouvés : ✆ 08-401 07 88 - Bergsgatan 54.
Perte cartes bancaires :
Amex : ✆ 0771-29 56 00
Eurocard et Visa : ✆ 020-795-675
Master Card : ✆ 020-791-324

Décalage horaire

Pas de décalage horaire avec Paris, Bruxelles ou Genève. L'heure en vigueur à Stockholm est celle de l'Europe centrale, soit GMT +1 (et GMT +2 entre avril et octobre).

Électricité

Le voltage du secteur est de 220 volts comme partout en Europe continentale.

Horaires

Magasins – De 9h30 à 18h du lundi au vendredi et de 9h à 14h ou 16h le samedi et le dimanche.
Banques – De 9h à 15h du lundi au vendredi et jusqu'à 17h le jeudi.
Pharmacies – *Apotek* en suédois. Mêmes heures d'ouverture que les magasins. La pharmacie CW Scheele, proche de la gare centrale (Klarabergsgatan 64 - Ⓜ T-Centralen), est ouverte 7 j./7 24h/24.

Internet

Vous trouverez des cafés Internet dans bon nombre de boutiques 7-Eleven ou Pressbyrån, des kiosques qui vendent restauration rapide, boissons, tabac et journaux. Pour trouver une liste de points : www.sidewalkexpress.com
Les cafés Internet tendent cependant à disparaître, remplacés par le Wifi. La grande majorité des hôtels, auberges de jeunesse et B & B disposent d'un accès gratuit pour leurs clients,

il suffit de demander le code à la réception. Beaucoup de cafés, bars et restaurants font de même pour leurs consommateurs. Dans les bibliothèques municipales, les offices de tourisme et certains bâtiments publics, l'accès est souvent gratuit et sans code.

Jours fériés

Les veilles de jours fériés, les établissements (musées, cafés, restaurants, boutiques) ferment plus tôt que d'habitude.
1er janvier : Nouvel an
6 janvier : Épiphanie
Vendredi saint
Pâques (dimanche et lundi)
1er Mai : Fête du travail
Jeudi de l'Ascension
Dimanche de Pentecôte
6 juin : Fête nationale et du drapeau
Samedi de Midsommar, Saint-Jean (tombe dans la semaine du 3e lundi de juin, soit entre le 20 et le 26 juin)
Samedi de la Toussaint (entre le 31 octobre et le 1er novembre)
25 et 26 décembre : Noël

Poste

Le principal opérateur est Posten (www.posten.se). Les agences traditionnelles ont disparu avec la déréglementation, elles sont désormais de simples guichets dans des superettes ou des boutiques genre pressing. Les bureaux ouvrent de 9h à 17h du lundi au vendredi et de 10h à 13h le samedi. Les boîtes aux lettres sont jaunes.
Pour la France et la zone Europe, le tarif est de 12 SEK en tarif normal (jusqu'à 20 g).
Les timbres sont vendus dans les bureaux de poste, dans de nombreux kiosques, ainsi que dans les papeteries.

Pourboire

Dans les restaurants, il est d'usage de laisser un pourboire entre 5 et 10 %. Notez que les notes de restaurants, mais aussi de taxi, prévoient généralement sous l'addition une ligne « extra », et une dernière « total ». Si vous ne souhaitez rien laisser, barrez la ligne « extra » et reportez le montant de la note à la ligne « total ». Sinon, faites l'opération.

Presse

Stockholm a deux quotidiens du matin *(Dagens Nyheter* et *Svenka Dagbladet)*, deux quotidiens du soir de style tabloïde *(Aftonbladet* et *Expressen)* et deux journaux gratuits, *Metro* et *Stockholm City*, ce dernier publié lundi et jeudi.

Restauration

« Pourboire » ci-dessus, « Nos adresses/Se restaurer » p. 20 et « Saveurs scandinaves » p. 119.
Les restaurants suédois ont souvent deux vies. Ils servent des menus de midi *(lunch)* bon marché, qui comprennent pour la plupart salade, pain, plat, boisson et café (suédois, pas l'expresso), le tout pour un tarif entre 60 et 90 SEK. Les repas du soir sont souvent à la carte et plus coûteux. Les Suédois se contentent souvent du plat de résistance et boivent du vin au verre, car dans ce pays où règne encore une semi-prohibition, avec des magasins d'état

pour acheter l'alcool au détail, les taxes sont très élevées.
À noter : l'eau du robinet est de très bonne qualité à Stockholm.
Avec l'entrée de la Suède dans l'Union Européenne en 1995, une variété de restaurants et de bars a envahi le paysage stockholmois, qui était jusque-là, reconnaissons-le, assez minimaliste. Toutes les cuisines du monde se trouvent maintenant à Stockholm, avec une prédominance italienne et moyen-orientale. Notez qu'à partir du mois de mai, de nombreux bars et restaurants construisent une terrasse, là aussi un phénomène né dans les années 1990 lorsque la Suède a commencé à se mettre aux habitudes « continentales ».

Incontournable

Si vous souhaitez tester un grand classique suédois, vous ne pouvez éviter les **saucisses** *(korv)* vendues dans les innombrables kiosques *(korvkiosk)* où les saucisses sont bouillies *(kokt)* ou grillées *(grillad)* et servies dans un petit pain au lait, avec généralement du ketchup et de la moutarde sucrée.

Savoir-vivre

Ce n'est pas faire injure aux Suédois que de constater qu'ils ne sont guère adeptes des bonnes manières, comme tenir la porte ou laisser sa place dans un bus. Ce qui ne les empêche par ailleurs pas d'être en général des modèles de civisme.
Les Suédois n'apprécient guère les gens qui parlent fort, a fortiori ceux qui crient, et plus généralement ceux qui ont un comportement trop différent. Cela porte un nom, la **Jantelagen**, la loi de Jante. Il s'agit de la loi non écrite qui régit les rapports entre Scandinaves et qui stipule qu'aucune tête ne doit dépasser. « Tu ne dois pas croire que tu es quelqu'un », est l'un des commandements énoncés par le romancier Aksel Sandemose et qui imprègne toute la société nordique, laquelle n'a en conséquence aucune sympathie pour l'élitisme. Se mettre en avant n'est pas bien vu.
Les Suédois ont par ailleurs une nette tendance à fuir les conflits. Ce sont de grands consensuels qui ont souvent du mal à dire non, même s'ils n'en pensent pas moins. Le débat contradictoire pour le plaisir de refaire le monde est une activité qui les laisse assez indifférents. Il est donc parfois indélicat d'insister sur certains points, d'autant que les Suédois accordent beaucoup d'importance au respect de leur intégrité.

Stockholmskortet

La **carte Stockholm**, valable 24, 48, 72h ou 5 jours inclut l'**accès gratuit** : à 80 musées et attractions, aux transports en commun de Stockholm (métro, bus, trains de banlieue et tramways) et au bac M/S Emelie vers Djurgården et Hammarby Sjöstad, à une visite guidée en vélo entre mi-mai et fin août (enf. +12 ans), à un circuit commenté en bateau autour de l'île de Kungsholmen pendant l'été.
Cette carte propose également des **tarifs préférentiels** pour les circuits guidés en bus organisés par Stockholm Panorama et Open Top Tours, et pour

les excursions en bateau à destination de Drottningholm et autour de Djurgården.

Tarifs – 24h : 495 SEK (7-17 ans 225 SEK) ; 48h : 650 SEK (265 SEK) ; 72h : 795 SEK (295 SEK) ; 5 j. : 1 050 SEK (325 SEK).

Renseignements et achat – Stockholm Tourist Center (Vasagatan 14 - Ⓜ T-Centralen - ✆ 508 28 508), Arlanda Visitor Center (Aéroport d'Arlanda) et sur le web : www.visitstockholm.com.

Tabac

Comme presque partout en Europe, la cigarette est bannie dans les lieux publics à Stockholm. La Suède a été le premier pays au monde à atteindre, en 2001, l'objectif de l'OMS que moins de 20 % de la population ne fume. Depuis le 1er juin 2005, la loi interdit de fumer dans tous les bars, cafés, restaurants, discothèques, etc. La loi prévoit la possibilité d'avoir, dans l'enceinte de l'établissement, une salle fumeur où il est interdit de consommer ou de boire. Dans les faits, très peu d'établissements ont une telle pièce. On trouve parfois des terrasses couvertes et chauffées où l'on peut fumer.

Les Suédois sont par ailleurs grands consommateurs de *snus*, un tabac à sucer qui existe soit en petits sachets, soit directement en pâte friable dont on met une grosse pincée sur la gencive supérieure. Vous en verrez malheureusement partout sur les murs (parfois les plafonds) du métro de Stockholm ou sur le macadam, tâches noirâtres et peu ragoûtantes. Interdit dans le reste de l'Union Européenne, le *snus* est un produit très fort en nicotine, qui provoque parfois des trous dans la gencive, peut troubler l'alimentation et le rythme cardiaque. Il existe un fort lobby suédois pour l'exporter dans le reste de l'UE, au prétexte que cela aiderait à arrêter de fumer et que cela ne provoque pas de cancer. Une chose est sure : il est très dur d'arrêter le *snus*...

Taxes

La Suède est, avec le Danemark, le pays au monde où la fiscalité est la plus élevée au monde.

La TVA est généralement de 25 %. Elle est de 12 % pour les produits alimentaires, les nuits d'hôtel, les achats d'oeuvres d'art auprès des artistes eux-mêmes, de 6 % pour les transports de personnes (train, avion, taxi, bus), les livres et journaux, les billets d'entrée pour les événements sportifs et culturels.

La Suède fait partie de l'Union Européenne et il n'y a donc pas de détaxe pour les ressortissants de l'UE. Les autres peuvent récupérer 12,5 à 17,5 % des achats supérieurs à 200 SEK dans les boutiques affiliées à **Global Refund** (www.globalrefund.com) et dans les aéroports.

Taxis

Trois principales compagnies de taxi dominent le marché de Stockholm. Ce sont elles qu'il faut privilégier.

Taxi Stockholm – ✆ 15 00 00 - www.taxistockholm.se.

Taxi Kurir – ✆ 30 00 00 - www.taxikurir.se.

Taxi 020 – ✆ 020 20 20 20 - www.taxi020.se.
La prise en charge est d'environ 40 SEK (env. 80 SEK pour une voiture de plus de 5 personnes) et le tarif variable suivant les jours et l'heure. Comptez en général de 9 à 15 SEK le kilomètre. À noter : les taxis acceptent les cartes bancaires.
Attention aux taxis au noir. Les mésaventures de touristes mal informés qui se retrouvent avec des notes très salées sont légion. Les taxis ayant une licence ont une plaque minéralogique jaune avec un petit T noir.
« Pourboire » p. 8.

Téléphone

De l'étranger

À la suite du préfixe international (00), composez le 46 pour joindre la Suède. Le préfixe de Stockholm est le 08 (et aussi le surnom des Stockholmois, *noll åtta* – littéralement « zéro huit » – que l'on prononce « noullota »).
Si vous appelez de l'étranger, ne composez pas le 0. Il n'est à utiliser que si vous appelez d'une autre région suédoise ou à partir d'un téléphone mobile. Pour appeler Stockholm depuis la France, la Belgique ou la Suisse, vous composerez donc le **00 46 8**, suivi du numéro de votre correspondant dont le nombre de chiffres peut varier.

De Stockholm vers l'étranger

De Stockholm vers la France : 00 33 + indicatif de la zone (de 1 à 5) sans le 0 + le numéro du correspondant.
De Stockholm vers la Suisse : 00 41.
De Stockholm vers la Belgique : 00 32.

De Stockholm à Stockholm

Depuis un téléphone fixe, vous composez le numéro de votre correspondant (nombre de chiffres variable), sans le 08.

Cabines

Elles sont devenues tellement rares que les gens les prennent en photo. Telia, l'ancien monopole, en a encore quelques-unes qui fonctionnent avec des cartes de crédit.

Téléphones portables

Vous pouvez soit utiliser votre abonnement et dans ce cas payer la tarification internationale de votre opérateur, soit acheter une carte *kontant* chez la plupart des opérateurs suédois comme Telenor, Three, Tele 2 Comviq, Telia, qui vous donnera un numéro de téléphone suédois (à condition que votre téléphone soit « débloqué » et accepte d'autres cartes sim).

Toilettes

Il existe des sanisettes un peu partout dans Stockholm. On peut aussi demander dans les cafés.

Transports en commun

Le réseau comprend métro *(tunnelbanan)*, tramway *(tvärbanan)*, trains de banlieue *(pendeltåg)* et bus *(buss)*. SL, l'opérateur stockholmois de transports en commun, propose différentes formules, avec des tarifs réduits pour les moins de 20 ans et les plus de 65 ans. Une carte **SL Access**, d'un coût initial de 20 SEK, est nécessaire

pour charger son ticket. 24h : 115 SEK, enf. 70 SEK ; 72h : 230 SEK, enf. 140 SEK, 7 j. 300 SEK, enf. 180 SEK. ✆ 60 01 000 - http://sl.se
À noter : les transports en commun sont inclus dans la carte Stockholm.
« Stockholmskortet » p. 9.

Vélo

Stockholm s'est mis tardivement à la location de vélos, mais un système existe enfin. Encore inégalement répartis, les quelque 75 parcs de location ne permettent d'emprunter des vélos qu'entre 6h et 22h. Accessibles à partir de 18 ans, ils peuvent être loués par tranches allant jusqu'à 3h à la fois (on peut les rendre jusqu'à 1h du matin).
Tarifs – Carte annuelle (valable avr.-oct.) : 300 SEK, carte 3 j. : 165 SEK.
Informations – www.citybikes.se

Visites guidées

www.guide-stockholm.fr – Pour organiser une visite guidée personnalisée de Stockholm en français.

En bus et en bateau

Strömma Turism & Sjöfart – ✆ 12 00 40 00 - www.stromma.se. Cette compagnie propose plusieurs circuits en bus et en bateau. De 50mn à 2h30.

À pied

Dans Gamla Stan – Se renseigner auprès du Stockholm Tourist Service, Södra Hamnvägen 7 (Hus K) - ✆ 12 00 49 79 - www.stotourist.se
Millennium – Une promenade dans Södermalm sur les traces des personnages de la populaire trilogie. Tours en anglais : mai-sept - rens. ✆ 508 316 20 - www.stadsmuseet.stockholm.se
Art dans le métro – Le métro de Stockholm, envahi d'oeuvres d'art contemporain, est considéré comme la plus longue galerie d'art moderne au monde (p. 112). Pour en savoir plus suivez un tour Art walk (juin-août). **SL** (l'opérateur stockholmois de transports en commun) - ✆ 600 10 00 - https://sl.se

En hélicoptère

Une expérience un peu chère mais inoubliable. **Öppet Hav**, Sjövillan, Hus 208 - ✆ 500 33 221 - www.oppethav.se ou **Live it**, Rosenlundsgatan 60 - ✆ 120 182 00 - www.liveit.se

En kayak

Pour admirer la ville en pagayant. **Stockholm Adventures**, Hamngatan 37 - ✆ 33 60 01 - www.stockholmadventures.com

En vélo

Une balade d'env. 2h pour dénicher les coins les plus secrets de la ville. **Stockholm Adventures**, Hamngatan 37 - ✆ 33 60 01 - www.stockholmadventures.com

En patins à glace

Un tour de 5-6h pour tous (même les débutants) pour découvrir la ville sur sa mer de glace. Déc-mars. **Ice guide** - ✆ 730 89 47 63 - www.iceguide.se

Agenda culturel

Il est possible de réserver vos billets en ligne sur la plupart des sites Internet des festivals.

Rendez-vous annuels

FÉVRIER-AVRIL

➔**Salon des antiquités** – Design, ameublement. www.antikmassan.se

AVRIL

➔**Walpurgis (Valborg)** – Le 30 avril, cette fête est la première qui marque la sortie de l'hiver (*p. 117*). Très prisée des Suédois.

Nuit de la culture – Entrée gratuite aux musées, concerts, événements… http://kulturnattstockholm.se/c

MAI-SEPTEMBRE

➔**Saison d'opéra** – Au théâtre royal de Drottningholm. www.dtm.se

MAI

➔**Marathon de Stockholm** – Fin mai ou déb. juin. Près de 20 000 participants venus du monde entier. www.stockholmmarathon.se

FIN MAI-DÉBUT JUIN

➔**Salon de l'archipel** – Sur Djurgården. Gastronomie, artisanat, bateaux, musique… : toute la vie de l'archipel de Stockholm. www.skargardsmassan.se

JUIN

➔**Stockholm Early Music Festival** – Début juin. Dans la vieille ville, ce festival rassemble des sonorités des périodes Moyen Âge, Renaissance et baroque. Autre édition pour Noël. www.semf.se

➔**Fête nationale suédoise** – Le 6 juin. L'anniversaire du drapeau est célébré par des parades, des discours et des orchestres.

➔**La Saint-Jean (Midsommar)** – Fêtée le vendredi soir et le samedi les plus proches du 24 juin. Mâts de fleurs, avec musique, danse, feux de joie, excursions en bateau, et souvent beaucoup d'alcool. La célébration la plus traditionnelle se fait à Skansen, le musée en plein air de Djurgården. www.skansen.se

AOÛT

➔**Stockholm Pride Festival** – Début août. www.stockholmpride.org

➔**Festival culturel de Stockholm** – Mi-août. La ville fête la fin de l'été. Concerts, marchés, activités culturelles multiples. www.kulturfestivalen.stockholm.se

➔**Course de minuit (Midnattsloppet)** – Course très populaire de 10 km sur l'île de Södermalm. www.midnattsloppet.com

➔**DN Galan** – Grande compétition d'athlétisme dans l'ancestrale enceinte de Stadion. www.diamondleague-stockholm.com

OCTOBRE

➔**Stockholm Jazz Festival** – www.stockholmjazz.com

NOVEMBRE

➔**Festival international du Film de Stockholm** – Seconde quinzaine. Ce festival décerne son cheval de bronze (Bronshästen). www.stockholmfilmfestival.se

DÉCEMBRE

➔**Cérémonie des prix Nobel** – Le 10 décembre, remise officielle des prix aux lauréats à l'Hôtel de Ville. Nombreuses activités et conférences avec et sur les Nobel durant la semaine qui entoure la cérémonie.

➔**Festival Sainte-Lucie** – Le 13 décembre. Nombreuses processions, avec Lucie, cheveux blonds déployés, en aube blanche, le front ceint d'une couronne de bougies.

Galeries d'art

Grafiska Sällskapet – Hornsgatan 6 - Ⓜ Slussen - ✆ 643 88 04 - www.grafiskasallskapet.se - mar.-jeu. 12h-18h, vend.-dim. 12h-16h. Spécialisée dans le graphisme.

Galleri Kontrast – Hornsgatan 8 - Ⓜ Slussen - ✆ 641 49 99 - www.gallerikontrast.se - mar.-vend. 12h-18h, w.-end 12h-16h. Le temple des amateurs de photos.

Galleri Knall – Hornsgatan 26 - Ⓜ Slussen - ✆ 641 25 80 - www.knall.com - mar.-vend. 11h-18h, w.-end 12h-16h. Galerie de l'artiste Christina Knall.

Galleri Cupido – Svartmangatan 27 - Ⓜ Gamla Stan - ✆ 20 00 38 - www.gallericupido.se - merc.-jeu. 12h-17h, vend.-sam. 12h-16h, dim. 13h-16h. Peinture et sculpture.

Galleri Magnus Karlsson – Fredsgatan 12 - Ⓜ T-Centralen - ✆ 660 43 53 - www.gallerimagnuskarlsson.com - mar.-vend. 12h-17h, w.-end 12h-16h.

Gallery Niklas Belenius – Ulrikagatan 13 - Ⓜ Karlaplan - ✆ (0)70 855 68 56 - www.niklasbelenius.com - merc.-vend. 12h-17h, w.-end 12h-16h. Art contemporain.

Konstnärshuset (Maison des artistes) – Smålandsgatan 7 - Ⓜ Östermalm - ✆ 611 10 09 - www.konstnarshuset.com - mar.-jeu. 12h-17h, vend.-sam. 12h-16h.

Bonniers Konsthall – Torsgatan 19 - Ⓜ St Eriksplan - ✆ 736 42 48 - www.bonnierskonsthall.se - merc.-vend. 12h-19h, w.-end 11h-17h. Art contemporain et ateliers d'artistes.

Expositions temporaires

www.stockholmmuseum.com – Pour les expositions temporaires des musées de Stockholm.

www.ticnet.se – Site de réservations en ligne. Donne un bon aperçu des spectacles ou événements à venir.

Parc d'attractions

Gröna Lund – Lilla Allmänna Gränd 9 - bus 44 depuis Karlaplan ou tramway 7 depuis Sergelstorg - ✆ 587 501 00 - www.gronalund.se - horaires variables (consulter le site) - 100 SEK (200 SEK les soirs de concert 18h-20h30), gratuit -7 ans et diverses formules de tarifications pour les attractions. De début mai à fin septembre (dates à vérifier), le parc d'attractions de Stockholm offre de multiples scènes pour grands frissons. Situé en plein cœur de la ville, sur l'île de Djurgården, on peut y accéder en ferry depuis Slussen.

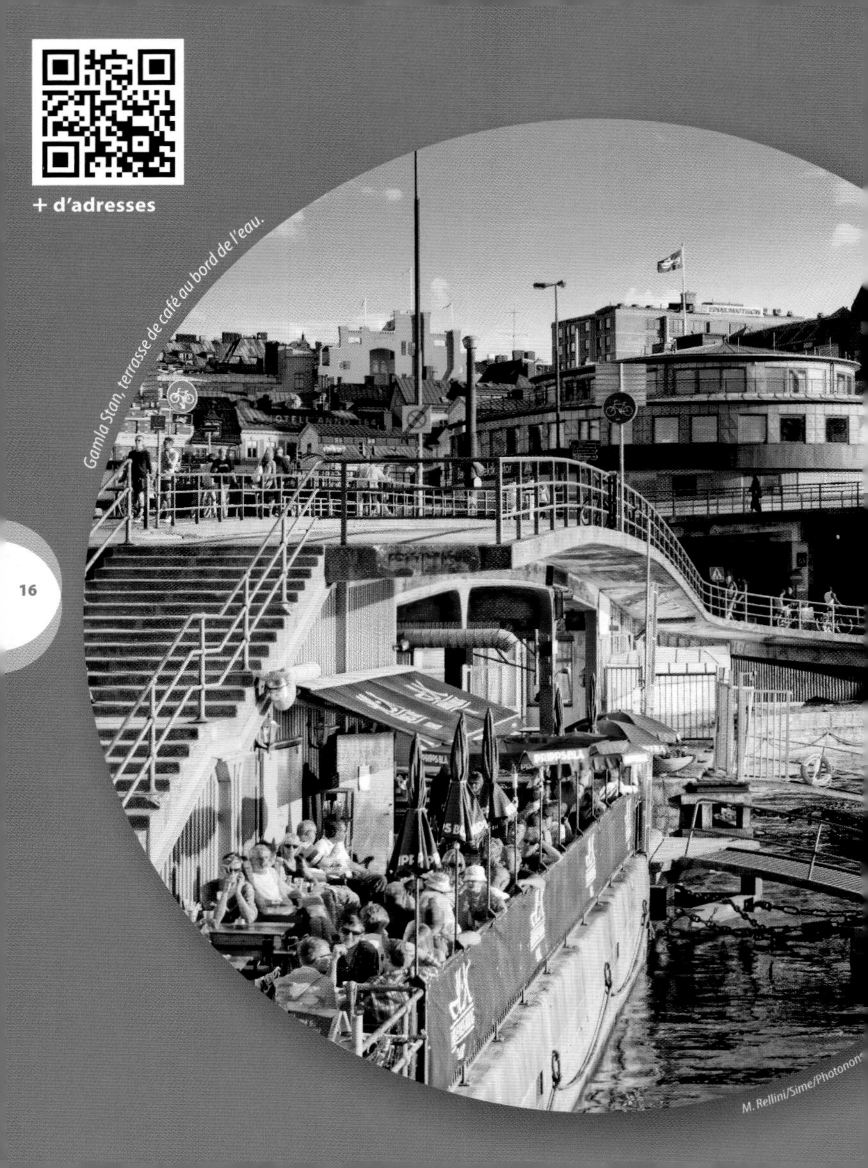

Gamla Stan, terrasse de café au bord de l'eau.

M. Rellini/Sime/Photononstop

Nos adresses

Se loger

Stockholm n'est pas toujours bon marché. De plus en plus d'hôtels pratiquent la tarification flexible (moins il y a de place, plus c'est cher), mais avec des tarifs réduits le week-end.
Offres variées et réservation en ligne sur **www.visitstockholm.com**.
Centrale de réservation hôtelière – *Hotell Centralen - ✆ 789 24 90 - 8h-20h.* Dans la gare centrale.
STF - Auberges de jeunesse de l'archipel – *✆ 463 21 00 - www. svenskaturistforeningen.se.* Elles sont très bien tenues et bon marché.
Repérez nos adresses sur le plan détachable grâce aux pastilles numérotées. Les coordonnées en rouge font référence à ce même plan.
Nos tarifs correspondent au prix mini d'une chambre double en haute saison.

Gamla Stan

MOINS DE 95 € (1 000 SEK)

11 Mälardrottningen Hotel – D5 - *Riddarholmen - Ⓜ Gamla Stan - ✆ 120 900 00 - www.malardrottningen. se - 61 ch. - gratuit -7 ans.* Situé sur Riddarholmen, à l'ouest de Gamla Stan, ce navire de 1924 est idéalement placé, face au lac Mälaren, avec vue sur l'hôtel de ville. Les chambres sont dans les cabines, du matelot (6 m²) à l'armateur (17 m²). Au restaurant, menus inspirés de cuisine suédoise (fermé dim.).

DE 190 À 285 € (2 000/3 000 SEK)

16 Victory – D5 - *Lilla Nygatan 5 - Ⓜ Gamla Stan - ✆ 506 400 00 - www.victoryhotel.se - fermé 20 déc.- 10 janv. - 42 ch.* L'hôtel de charme par excellence ! En plus des chambres confortables et joliment aménagées, vous y trouverez un des meilleurs restaurants de la vieille ville, Leijontornet. Une adresse que l'on recommande vivement.

Södermalm

MOINS DE 95 € (1 000 SEK)

17 Zinkensdamm Hotell & Vandrarhem – B7 - *Zinkens väg 20 - Ⓜ Zinkensdamm - ✆ 616 81 10 - www.zinkensdamm.com - hôtel : 90 ch., auberge : 50 ch.* Hôtel et auberge de jeunesse situés à deux pas du plus grand parc de Södermalm, cet établissement sans prétention est situé à proximité des jardins ouvriers de Tanto.

7 Långholmen Hotell – A6 - *Långholmen - Ⓜ Hornstull et 10mn de marche - ✆ 720 85 00 - www.langholmen. com - 113 ch.* Un peu à l'écart tout en étant au centre, cette ancienne prison, fermée en 1975, a été transformée en hôtel et auberge de jeunesse. Brunch le dimanche de 12h à 16h. Plage à quelques dizaines de mètres seulement.

DE 95 À 190 € (1 000/2 000 SEK)

2 Clarion Hotel Stockholm – D8 - *Ringvägen 98 - Ⓜ Skanstull - ✆ 462 10 00 - www.clarionstockholm.se - 532 ch.* Il offre une vue panoramique sur la banlieue sud de Stockholm. Très orienté design et musique avec un club ouvert les vendredi et samedi jusqu'à 3h du matin. Prix variables selon la saison et la disponibilité.

Norrmalm

PLUS DE 285 € (3 000 SEK)

10 Lydmar – D3 - *Södra Blasieholmshamnen 2 - Ⓜ Kungsträgården - ✆ 223 160 - www.lydmar.com - 46 ch.* L'hôtel, installé au bord de l'eau, est décoré dans le style art contemporain. Les chambres sont agréables, avec des touches personnelles. Le restaurant est surmonté d'une terrasse face au lac Mälaren.

1 Berns – D4 - *Näckströmsgatan 8 - Ⓜ Kungsträgården - ✆ 566 322 00 - www.berns.se - 65 ch.* Cet hôtel est décoré avec goût dans le style du design scandinave. Une excellente adresse dans une rue calme et centrale. Le café mitoyen est un des plus réputés de la capitale et la discothèque un des endroits les plus fréquentés du moment.

LUXE

5 Grand Hotel – D4 - *Södra Blasieholmshamnen 8 - Ⓜ Kungsträgården - ✆ 679 35 00 - www. grandhotel.se - 331 ch.* Pour un parfum de Nobel… C'est ici que sont logés les lauréats du prestigieux prix suédois en décembre. Au bord de l'eau, à deux pas du Musée national, il offre une superbe vue sur le château royal et le parlement. L'intérieur est dans le style baroque et les chambres sont très stylées.

Östermalm

DE 190 À 285 € (2 000/3 000 SEK)

3 Diplomat – E4 - *Strandvägen 7C - Ⓜ Östermalmstorg - ✆ 459 68 02 - www.diplomathotel.com - 130 ch.* Cet établissement prestigieux, à la façade Art nouveau, propose des chambres très confortables, aménagées sobrement dans l'esprit du design scandinave. Agréablement situé le long de la mer, il est cependant longé par une artère un peu bruyante.

6 Radisson Strand Hotel – E4 - *Nybrokajen 9 - Ⓜ Kungsträgården - ✆ 506 640 00 - www.radissonblu.com/ strandhotel-stockholm 152 ch.* Au bord de l'eau, cet hôtel est idéalement situé face à Strandvägen.

Djurgården

DE 95 À 190 € (1 000/2 000 SEK)

13 Scandic Hasselbacken – F5 - *Hazeliusbacken 20 - bus 47 - ✆ 517 343 00 - www.scandichotels.se - 113 ch.* Ce grand bâtiment se trouve dans un parc paisible à moins de 15mn du centre-ville. Les chambres sont très plaisantes, le restaurant aménagé dans un cadre fleuri et le service soigné. Une bonne adresse, au calme.

Archipel

DE 95 À 190 € (1 000/2 000 SEK)

Hotel J Nacka Strand – Hors plan dir. H8 - *Ellensviksvägen 1 - bus 443 depuis Slussen jusqu'à Nacka Strand 10mn, ou bateau 20mn depuis Nybrokajen ou Slussen avec Fjäderholmslinjen - ✆ 601 30 00 - www.hotelj.com - 158 ch.* Hôtel design et marin au bord de l'eau, à l'entrée de la ville, sur le passage des ferries qui partent en mer Baltique. Bon restaurant.

DE 190 À 285 € (2 000/3 000 SEK)

Seglarhotellet – Hors plan - *Île de Sandhamn - env. 2h de bateau au départ de Strandvägen - ☏ 574 504 00 - www.sandhamn.com - 79 ch.* Une véritable idylle ! Partez sur les traces de Super Blomkvist, le journaliste héros de la série *Millenium*, qui a sur cette île son cabanon où il vient se ressourcer.

Aéroport

DE 95 À 190 € (1 000/2 000 SEK)

Jumbo Stay – Hors plan - *Jumbovägen 4 - aéroport d'Arlanda - ☏ 593 604 00 - www.jumbostay.com - 27 ch.* Aménagé dans un Boeing 747, il propose des dortoirs de quatre (à partir de 450 SEK) ou des doubles avec douche et WC (2 000 SEK). La suite dans le pilot cockpit offre une vue panoramique sur l'aéroport.

Se restaurer

Presque tous les restaurants proposent des menus de déjeuner généralement bon marché (*« Restauration » p. 8*). Les tarifs des vins sont élevés.

Repérez nos adresses sur le plan détachable grâce aux pastilles numérotées. Les coordonnées en rouge font référence à ce même plan.

Gamla Stan

→DÉJEUNER

DE 10 À 25 € (100/250 SEK)

56 **Pastis** – D5 - *Baggensgatan 12 - Ⓜ Gamla Stan - ☏ 20 20 18 - www.pastis.se - fermé dim.* Du nom au décor, on célèbre la France et le Sud, mais la cuisine propose la meilleure et plus savoureuse tradition suédoise.

42 **Bistro & Gril Ruby** – D5 *Österlånggatan 14 - ☏ 20 57 76 - www.grillruby.com - tlj sf dim. 17h-23h.* Un bistro français (à la décoration réalisée par l'artiste Erik Dietman) qui propose de bons petits plats d'inspiration française et suédoise. Petite terrasse sur la ruelle pavée.

→DÎNER

DE 25 À 50 € (250/500 SEK)

27 **De Svarta Fåren** – D5 - *Stortorget 16 - Ⓜ Gamla Stan - ☏ 20 06 71 - www.desvartafaren.se.* Cette ancienne pharmacie, dont la cave était utilisée pour distiller eau et alcool, laisse filtrer une atmosphère pleine de charme, qui accompagne une cuisine continentale très soignée.

34 **Pubologi** – D5 - *Stora Nygatan 20 - Ⓜ Gamla Stan - ☏ 50 64 00 86 - www.pubologi.se - fermé à midi et dim.* Dans ce restaurant-pub gastronomique le repas est pris sur de grande table à partager ou à de petites tables. Délicieux mets

Suite du Lydmar Hotel.

servis en demi-portions allant de la viande fumée aux croquettes de crabe.

PLUS DE 50 € (500 SEK)

(28) **Den Gyldene Freden** – D5 - *Österlänggatan 51 - Ⓜ Gamla Stan - ✆ 24 97 60 - www.gyldenefreden.se - fermé dim. et j. fériés.* Un des grands classiques de Stockholm *(p. 48)* situé dans une auberge du début du 18e s. aux splendides caves voûtées. Cuisine suédoise.

Södermalm

➔DÉJEUNER

MOINS DE 10 € (100 SEK)

(54) **Nystekt Strömming** – D6 - Ⓜ *Slussen - à la station de métro.* Ce kiosque est repérable à son enseigne en forme de hareng jaune bordé de rouge. Sa spécialité est le hareng pané accompagné de boules de purée. Un grand classique. Une alternative à l'inévitable *korv*, la saucisse nationale.

DE 10 À 25 € (100/250 SEK)

(39) **Hermans** – E6 - *Fjällgatan 23B - Ⓜ Medborgarplatsen - ✆ 643 94 80 - www.hermans.se.* Voici le restaurant végétarien phare de Stockholm avec un buffet thématique (Inde, Moyen-Orient), un jardin fleuri et une vue superbe sur le cœur de la capitale dont on profite même l'hiver grâce à la vaste véranda.

(69) **Gildas Rum** – E7 - *Skånegatan 79 - Ⓜ Medborgarplatsen.* Dans un cadre délicieusement décoré, Gilda vous propose des salades très riches, des sandwichs, des plats du jour où de la pâtisserie maison. Terrasse très agréable en été.

➔DÎNER

DE 10 À 25 € (100/250 SEK)

(41) **Indian Garden** – B6 - *Heleneborgsgatan 15 - Ⓜ Hornstull - ✆ 84 94 98 - www.indiangarden.nu.* Un véritable bain d'arômes. Portions généreuses et ambiance Bollywood.

DE 25 À 50 € (250/500 SEK)

(65) **Sjögräs** – C6 - *Timmermansgatan 24 - ✆ 84 12 00 - www.sjogras.com - fermé midi et dim.* Un intérieur épuré et une cuisine de qualité. Poulet de Bretagne ou bouillabaisse, un restaurant de quartier qui compte beaucoup d'adeptes.

(49) **Rival** – D6 - *Mariatorget 3 - Ⓜ Mariatorget - ✆ 54 57 89 00 - www.rival.se.* L'une des institutions de « Söder », connue pour sa forte concentration d'artistes et d'écrivains et son esprit bohème de plus en plus chic. Cet ancien cinéma des années 1930, racheté par Benny Andersson (l'un des chanteurs du groupe Abba), rassemble ; un hôtel (99 ch.), un bistro qui affiche une cuisine suédoise et internationale, un café servant une petite restauration midi et soir, un magnifique bar à cocktail au style Art déco, ainsi qu'une salle de 700 places où sont régulièrement organisés des spectacles.

PLUS DE 50 € (500 SEK)

(32) **Gondolen** – D6 - *Stadsgården 6 - Ⓜ Slussen - ✆ 641 70 90 - www.eriks.se - fermé sam. midi et dim.* Vue exceptionnelle sur Stockholm. On y trouve un café *lounge*, un bistro (Eriks Bakficka), une terrasse ensoleillée et une salle à manger plus élégante. Préférez les poissons.

Norrmalm, Skeppsholmen

→DÉJEUNER

MOINS DE 10 € (100 SEK)

40 **Hötorgshallen** – D3 - Ⓜ *Hötorget - www.hotorgshallen.se - fermé dim. et le soir.* Plusieurs restaurants au milieu des étals et des boutiques spécialisées du marché couvert. Un régal pour les sens, sans se ruiner.

DE 10 À 25 € (100/250 SEK)

47 **Martins Gröna** – D3 - *Regeringsgatan 91 - Ⓜ Hötorget - ✆ 411 58 50 - www.martinsgrona.com - fermé le soir, sam. et dim.* L'un des très bons restaurants végétariens de Stockholm, avec ses lasagnes du jeudi et ses *burritos* du vendredi.

→DÎNER

DE 25 À 50 € (250/500 SEK)

59 **Operakällarens Bakficka** – D4 - *Operahuset - Karl XII:s torg 3 - Ⓜ Kungsträdgården - ✆ 676 58 00 - www.operakallaren.se.* Ce petit restaurant situé sur le côté de l'Opéra sert des spécialités suédoises dans un cadre intime. Une adresse d'habitués.

71 **Smak** – D3 - *Oxtorgsgatan 14 - Ⓜ Hötorget - ✆ 22 09 52 - http://restaurangentm.com - fermé sam. midi et dim.* Ce spacieux restaurant au cadre actuel propose, le midi, des repas simples et légers et le soir, de petites assiettes dégustation créatives aux influences asiatiques.

PLUS DE 50 € (500 SEK)

63 **Rolfs Kök** – C3 - *Tegnergatan 41 - Ⓜ Rådmansgatan - ✆ 10 16 96 - www.rolfskok.se - fermé midi le w.-end.* Considéré lors de son ouverture en 1989 comme le *must* du nouveau design suédois, grâce à la patte fonctionnelle de Jonas Bohlin et de son acolyte Thomas Sandell, le Rolfs Kök propose des plats suédois classiques. Plats du jour sur ardoise. Magnifique carte des vins.

Östermalm

→DÉJEUNER

MOINS DE 10 € (100 SEK)

60 **Café Rosengården** – E3 - *Historiska museet - Narvavägen 13-17 - Ⓜ Karlaplan - ✆ 519 556 10 - www.historiska.se/home/visit/Cafe-Rosengarden - fermé lun. oct.-avr.* Agréable pause déjeuner au cœur du musée des Antiquités nationales.

DE 10 À 25 € (100/250 SEK)

68 **Strandbryggan Sea Club** – F4 - *Strandvägskajen 27 - bus 47 et 69 - ✆ 660 37 14 - www.strandbryggan.se.* Menu bistro, barbecue l'après-midi pour ce restaurant situé sur un quai flottant le long de Stranvägen, à l'entrée de l'île de Djurgården. On y mange uniquement en terrasse et donc par beau temps.

55 **Östermalms Saluhall** – E3 - *Östermalmstorg - Ⓜ Östermalmstorg - www.ostermalmshallen.se - fermé dim.* Le superbe marché couvert abrite de nombreux cafés et restaurants où l'on peut manger sur le pouce.

DE 25 À 50 € (250/500 SEK)

36 **Brasserie Bobonne** – E3 - *Storgatan 12 - Ⓜ Östermalmstorg - ✆ 660 03 18 - www.bobonne.se -*

fermé dim. Un petit restaurant douillet et chaleureux comprenant deux salles avec carrelage d'époque et cuisine ouverte d'où s'échappent de délicieux arômes. Influences françaises, touches modernes et quelques classiques de la cuisine suédoise.

➔DÎNER

PLUS DE 50 € (500 SEK)

48 **Mathias Dahlgren Matbaren** – E 4 - *Grand Hotel - Södra Blasieholmshamnen 6 - Ⓜ Kungsträdgården - ☎ 679 35 84 - www.mathiasdahlgren.se - fermé sam. midi et dim.* Le « food bar » de l'un des meilleurs cuisiniers suédois. La carte propose des recettes simples mais élaborées dans un style moderne et original.

70 **Wedholms Fisk** – D4 - *Nybrokajen 17 - Ⓜ Kungsträdgården - ☎ 611 78 74 - www.wedholmsfisk.se - fermé sam. midi et dim.* Probablement le meilleur restaurant de poissons en ville, dans un cadre soigné et lumineux.

Djurgården

➔DÉJEUNER

DE 10 À 25 € (100/250 SEK)

25 **Blå Porten** – F5 - *Djurgårdsvägen 60 - bus 44 et 47 - ☎ 663 87 59 - http://blaporten.com.* Un rendez-vous charmant juste en face de Skansen. Ce restaurant qui remonte à la fin du 17e s. dispose aussi d'une belle cour intérieure.

➔DÎNER

DE 25 À 50 € (250/500 SEK)

26 **Ulla Winbladh** – F4-5 - *Rosendalsvägen 8 - ☎ 534 897 01 - www.ullawinbladh.se.* Cette charmante petite maison, bâtie au cœur d'un parc, accueille un restaurant populaire très fréquenté par les habitants de la capitale. Cuisine suédoise, à savourer en été sur la grande terrasse fleurie.

Kungsholmen

➔DÉJEUNER

DE 10 À 25 € (100/250 SEK)

La Petite France – Hors plan - *John Ericssonsgatan 6 - Ⓜ Rådhuset - ☎ 618 28 00 - www.petitefrance.se - fermé en juil.* Pour un petit-déjeuner ou un brunch, dans un estaminet souvent bondé. Possibilité d'emporter ses achats et d'aller au bord de l'eau à quelques dizaines de mètres. Le soir l'endroit se transforme en petit bistrot.

Solna

➔DÉJEUNER

DE 10 À 25 € (100/250 SEK)

Sjökrogen – Hors plan dir A1 - *Pampas Marina - Karlbergs Strand 4 - Ⓜ Västra Skogen - ☎ 587 557 80 - www.sjokrogen.com.* Ce pub au bord de l'eau vaut tout autant pour sa cuisine que pour sa situation dans ce petit port, où quelques dizaines de Stockholmois habitent à l'année sur des bateaux ou des maisons sur l'eau aux formes très variées.

En terrasse sur la Grand-Place.

CHOKLADKOPPEN
KAFFEKOPPEN
BAKAD POT m. WYK/SKAGEN
LASAGNE m. SALLAD
SMÖRGÅSAR
FOCACCIA m. SALLAD
HEMLAGADE PAJER
DAGENS SALLAD

Prendre un verre

Les Suédois sont adeptes de la culture du *fika* (café), où ils vont passer des heures avec des amis autour d'un *café latte*. En outre, ils se retrouvent les vendredi et samedi soir pour des sorties généralement bien arrosées. À partir du mois de mai, les rues se couvrent de terrasses provisoires.

Gamla Stan

Sundbergs Konditori – *Järntorget 83 - Ⓜ Gamla Stan - ✆ 10 67 35 - 7h30-22h (20h en hiver).* Le plus vieux salon de thé de Stockholm, établi à l'époque de Gustav III. Il en émane une atmosphère d'un autre âge. La légende dit qu'un souterrain le relit au château royal et qu'ainsi Gustav III pouvait discrètement venir se repaître de pâtisseries.

Grillska Huset – *Stortorget 3 - Ⓜ Gamla Stan - ✆ 68 42 30 00 - www.stadsmissionen.se - 10h-18h.* Le café géré par la Stockholms Stadsmission, une chaîne de charity shops, est l'endroit idéal pour une délicieuse pause salée ou sucrée, surtout pendant la belle saison, quand on peut profiter de la terrasse sur la place centrale de Gamla Stan.

Café Mineur – *Stora Nygatan 31 - Ⓜ Gamla Stan - ✆ 411 10 07 - 10h-20h, w.-end 12h-19h.* Une volée de marches donne accès à une vaste cave voûtée meublée de canapés et de fauteuils moelleux, de tables et de chaises au style hétéroclite. Ambiance jeune et décontractée, revues et livres à disposition et bons sandwichs.

Södermalm

Pelikan – *Blekingegatan 40 - Ⓜ Skanstull - ✆ 556 090 90 - www.pelikan.se - lun.-jeu. 16h-24h, vend.-dim. 13h-1h.* Une vénérable brasserie à l'ambiance chaleureuse. Ce haut lieu de Södermalm offre en plus une carte suédoise de qualité.

Café String – *Nytorgsgatan 38 - Ⓜ Medborgarplatsen - ✆ 714 85 14 - www.cafestring.com - lun.-jeu. 9h-20h (19h vend.), w.-end 10h-19h.* Un café incontournable pour découvrir l'âme de Söder. C'est dans un joyeux fouillis de meubles déparés, que les clients peuvent acheter, qu'on vient prendre un *fika* entre amis pour de longues heures indolentes.

Kvarnen – *Tjärhovsgatan 4 - Ⓜ Medborgarplatsen - ✆ 643 03 80 - www.kvarnen.com - lun.-vend. 11h-3h, w.-end 12h-3h.* Le pub des supporters d'Hammarby, le club de foot de Söder. Une institution centenaire.

Mellqvist Coffe Bar – *Hornsgatan 78 - Ⓜ Mariatorget - ✆ 687 529 92- 7h-18h, w.-end 9h-18h.* Déjà réputé pour ses bons cafés, il a accédé au rang de bar culte depuis que Stieg Larsson, auteur de la série *Millenium*, en a fait le café du journaliste Mikael Blomkvist. Stieg Larsson lui-même en a été un client assidu.

Fåfängan – *Klockstapelsbacken 3 (en haut de la colline) - bus 53 depuis Slussen, arrêt Londonviadukten - ✆ 642 99 00 - www.fafangan.se.*

Idéalement situé en haut d'une colline à l'extrémité orientale de Söder, ce café domine tout Stockholm.

Lasse i parken – *Högalidsgatan 56 - Ⓜ Slussen - ✆ 658 33 95 - www.lasseiparken.se - 11h-23h (dim. 17h).* Dans le quartier d'Hornstull, cette vieille auberge classée et pleine de charme est une oasis surprenante en pleine ville.

Himlen – *Götgatan 78 - ✆ 660 60 68 - www.restauranghimlen.se - fermé midi et dim.* « Le ciel » mérite bien son nom. Il se situe au 26e étage d'une tour qui domine toute la ville.

Norrmalm

Icebar – *Vasaplan 4 - au pied de l'hôtel Nordic Sea - Ⓜ T-Centralen - ✆ 505 635 20 - www.icebarstockholm.se - de déb. mai à mi-sept. : 11h15-0h ; reste de l'année 15h30-0h - sur réserv. jusqu'à 21h45.* Dans une température de -5 °C, vous pourrez apprécier une vodka glacée emmitouflé dans une combinaison polaire. Une expérience unique !

Vetekatten – *Kungsgatan 55 - Ⓜ T-Centralen - ✆ 20 84 05 - www.vetekatten.se - 7h30-19h30, sam. 9h30-17h, dim. 12h-17h (fermé dim. pdt l'été).* Ce vaste établissement, dans la plus belle tradition des *konditori*, accueille depuis plus de 80 ans une boulangerie, un salon de thé et un restaurant où l'on sert une cuisine rapide. À emporter ou déguster dans la petite cour intérieure.

Café Panorama – *Sergels Torg - 5e étage de la Kulturhuset (Maison de la Culture) - Ⓜ T-Centralen - ✆ 21 10 35 - http://en.kulturhuset.stockholm.se - mar.-vend. 11h-20h, sam. 11h-18h, dim. 11h-17h, lun. 11h-15h.* Ce bar donnant sur la place Sergel, lieu de rassemblement lors des grandes victoires sportives suédoises, offre une vue sur toute la capitale. Durant l'été (de fin mai à fin août), les 700 m² de toits de Kulturhuset se métamorphosent en gigantesque terrasse festive.

Skeppsholmen

Bar Chapman – *Flaggmansvägen 8 - ✆ 46 32 267 - lun.-vend. 11h-22h, w.-end 12h-19h.* Le bar du navire, qui accueille une charmante auberge de jeunesse, propose des sandwichs et des salades, à déguster sur l'agréable terrasse au bord de l'eau.

Östermalm

Tösse bageriet – *Karlavägen 77 - Ⓜ Karlaplan - ✆ 66 22 430 - www.tosse.se - lun.-vend. 7h-18h, sam. et dim. 9h-16h.* Un salon de thé réputé de Stockholm qui sert parmi les meilleures *semlor* de la capitale, ce qui en dit long. Les *semlor* sont des brioches fourrées de pâte d'amande et de crème fouettée, spécialité de mardi gras.

T-bar – *Hotel Diplomat, Strandvägen 7 - ✆ 459 68 02 - www.diplomathotel.com - 6h30-22h30.* Élégant et lumineux, le café de l'Hotel Diplomat est un lieux très prisé pour siroter un apéritif ou se régaler un *tea time* avec au bord de l'eau.

Djurgården

Rosendals Trägård – *Rosendalstragård - bus 47, jusqu'à l'arrêt Waldemarsudde, puis 10mn à pied -*

✆ 545 812 70 - www.rosendalstradgard.se - avr.-sept. 11h-17h (18h sam. et dim.) ; reste de l'année 11h-16h - fermé janv. et lun. sf mai-sept. Le potager du château de Rosendal a réservé quelques-unes de ses serres à la restauration, où la production bio est à l'honneur. On y sert repas, sandwiches copieux, ainsi que de nombreux gâteaux. Les pelouses sont prises d'assaut dès les premiers rayons de soleil. Un des rendez-vous préférés des Stockholmois.

Ladugårdsgärdet

Kaknästornet Café & Skybar – *Mörka Kroken 28-30 - bus 69 - ✆ 667 21 80 - www.kaknastornet.se - lun.-jeu. 10h-17h, vend.-sam. 10h-21h, dim. 10h-18h, juin-août jusqu'à 22h.* À quelque 150 m de hauteur, ce café offre l'une des plus belles vues de Stockholm.

Hägersten

Klubbensborg - Café Uddvillan – *Klubbensborgsvägen 27 - Ⓜ Hägersten - ✆ 646 12 55- www.klubbensborg.se - été : 11h-18h (17h en sem.) ; reste de l'année : 12h-16h, w.-end et j. fériés 11h-17h.* Ce café d'Hägersten, au sud-ouest de Stockholm, est typique de ces endroits idylliques du bord de la mer où les Suédois viennent passer des heures autour d'un café et d'un gâteau.

Gröndal

Winterviken – *Vinterviksvägen 60 - Tram Gröndal ou Ⓜ Aspudden, puis 10mn à pied le long du lac Trekanten et de sa petite plage, puis sous le pont du périphérique, ou bien Ⓜ Liljeholmen et bus 133 jusqu'à l'arrêt Mörtviken et de là gravir la petite colline jusqu'au sentier - ✆ 400 264 80 - www.winterviken.se - 11h-16h.* Juste au sud-ouest de Södermalm, dans un petit quartier très populaire, et après avoir longé les agréables jardins ouvriers de Vinterviken, vous arriverez à ce café-restaurant des habitués du coin, en bordure d'une grande pelouse. Le bâtiment en briques a hébergé les débuts d'Alfred Nobel quand il faisait ses expériences sur la dynamite…

Nacka

Storstugan Hellasgården – *Nacka - bus 401 depuis Slussen, arrêt Hellasgården - ✆ 716 07 02 - www.storstugan.net - 10h-16h (w.-end 10h-17h)- fermé lun.* À essayer, ne serait-ce que pour réaliser ce que signifie la campagne à la ville (ou l'inverse). À 15mn du cœur de la capitale, vous voici dans un autre monde, au bord d'un lac bordé de forêts. L'hiver, on y fait du patin, et l'on s'y trempe une paire de secondes dans un trou creusé dans la glace après et avant le sauna. Auberge sur place.

Ice bar de l'hôtel Nordic Sea.

SOLUT ICEBAR STOC

Sortir

Même si Stockholm est à 800 km du cercle polaire arctique, les nuits d'hiver sont aussi interminables que les crépuscules d'été. Les Suédois, calfeutrés chez eux en hiver, se rattrapent donc largement l'été.
Quoiqu'en disent les puristes de Södermalm, le carrefour incontesté de la nuit stockholmoise se situe autour du fameux champignon en béton de **Stureplan** (www.stureplansgruppen.se). Les boîtes de nuit drainent un public jusqu'aux petites heures claires du matin dans un maelstrom de ce qui doit être la plus grosse concentration de taxis d'Europe du Nord, les vendredi et samedi soirs. Car sachez-le, un Suédois ne conduit (en principe) jamais même s'il n'a bu qu'un peu.

S'INFORMER ET RÉSERVER

L'office de tourisme publie un petit **magazine mensuel** en suédois et en anglais qui recense les événements en cours à Stockholm. Vous le trouvez dans tous les hôtels et à l'office du tourisme (Vasagatan 14).
Vous pouvez réserver des tickets pour toutes sortes de spectacles par l'intermédiaire de la centrale de réservation Ticnet : **www.ticnet.se** (en suédois et en anglais). Ce site liste les événements dans cinq domaines : sport, théâtre, musique, festivals et activités familiales. Il fonctionne donc comme un utile programme si vous manquez d'inspiration ou si vous vous décidez au dernier moment pour une sortie.

Gamla Stan

Debaser-Slussen – *Karl Johans Torg 1 - Ⓜ Gamla Stan - ✆ 30 56 20 - www.debaser.se.* Ouvert généralement six soirs par semaine, Debaser-Slussen est l'une des plus grosses scènes rock et pop de Suède avec une capacité de près de 2 000 personnes. L'un des rendez-vous les plus courus de Stockholm.
Stampen – *Stora Nygatan 5 - Ⓜ Gamla Stan - ✆ 20 57 93 - www.stampen.se.* Club de jazz et R & B très cosy et prisé. Sur deux étages, il offre deux bars et deux scènes pour un public hétéroclite. Musique live tous les soirs.

Södermalm

Södra Teatern – *Mosebacke Torg 1-3 - Ⓜ Slussen - ✆ 531 99 400 - www.sodrateatern.com.* Musique, théâtre, débat, le Théâtre du Sud est le haut-lieu culturel de l'île de Södermalm, avec, ce qui ne gâche rien, une vue superbe sur la ville depuis la terrasse. Programmation très cosmopolite. Plusieurs scènes, bars et restaurants. Le cœur de la vie nocturne de Söder.
Debaser Hornstulls Strand – *Hornstulls Strand 4, à l'extrémité ouest de Södermalm - Ⓜ Hornstull - ✆ 658 63 50 - www.debaser.se.* Programmation très éclectique et alternative pour cette scène née dans le sillon de feu Street, un marché aux puces qui, pendant quelques années, avait fait de ce coin de Södermalm, Hornstull, le nouveau lieu

branché. Le local demeure, au bord de l'eau, plein sud. Soirées avec groupes ou Dj, parfois payantes, parfois gratuites.

Folkoperan – *Hornsgatan 72 - Ⓜ Zinkensdamm - ✆ 616 07 00 - http://folkoperan.se - fermé l'été.* L'Opéra populaire est l'autre opéra de Stockholm (*ci-après*), version Södermalm, avec souvent des créations originales et insolites. Il vit le jour dans les années 1970 pour contrebalancer une institution jugée stagnante et élitiste.

Akkurat – *Hornsgatan 18 - Ⓜ Slussen - ✆ 644 00 15 - www.akkurat.se.* Un pub qui offre un vaste choix de bières et de whisky, dans une ambiance à la fois branchée et décontractée. Concerts jazz et rock le week-end et agréable terrasse en été.

Norrmalm

Fasching Jazz Club – *Kungsgatan 63 - Ⓜ T-Centralen - www.fasching.se - ✆ 534 829 60.* Passage obligé pour les amoureux de jazz. Ce club a une très solide réputation. Outre les concerts et le restaurant, Fasching se transforme en club le vendredi et le samedi soir de 24h à 4h.

Berns – *Berzelli Park - Ⓜ Kungsträdgården - ✆ 566 322 00 - www.berns.se.* Les salons fondés en 1862 par le pâtissier Berns abritent aujourd'hui un restaurant luxueux, un bar assez huppé et une discothèque (vend. et sam. 21h-5h). À l'étage, ambiance très chic et animée dans le bar.

Kungliga Operan – *Gustav Adolfs torg - Ⓜ T-Centralen - billetterie : Jakobs torg 2 ou sur www.ticnet.se - ✆ 791 44 00 - www.operan.se.* L'Opéra royal est la scène nationale pour l'opéra et le ballet depuis 1773, à l'instigation de Gustav III, roi très éclairé qui deux ans auparavant avait remercié la troupe française qui avait sévi durant vingt ans pour créer la première troupe suédoise. Bref, un classique.

Café Opera – *Operahuset, Karl XII:s torg - Ⓜ T-Centralen - ✆ 676 58 07 - www.cafeopera.se - merc.-dim. 22h-3h - tenue soignée exigée et âge mini 23 ans - pour réserver une table nightclub@cafeopera.se - entrée 220 SEK.* Impossible d'éviter ce club trentenaire, c'est le rendez-vous de la jet-set, d'où qu'elle vienne. La liste des célébrités qui sont venues briller sous les lustres est longue et prestigieuse.

Östermalm

Spy Bar – *Birger Jarlsgatan 20 - Ⓜ Östermalmstorg - ✆ 545 07 655 - www.spybar.se - merc.-sam. 23h-5h - âge mini : 23 ans.* Sans doute le club le plus emblématique d'Östermalm, où se presse la jeunesse dorée de Stureplan. Gare à la queue qui peut s'allonger le long de la façade. Mais c'est aussi là que l'on peut encore lier connaissance et discuter, sans avoir à s'époumoner !

Sturecompagniet – *Sturegatan 4 - Ⓜ Stadion - ✆ 545 07 655 - jeu.-sam. 22h. 3h - âge mini 23 ans - www.stureplansgruppen.se.* Le plus grand club de Stockholm offre quatre ambiances sur deux étages, avec des styles de musique différents et une fréquentation hétéroclite.

Shopping

LES QUARTIERS

Östermalm est le quartier chic de la bonne bourgeoisie stockholmoise et c'est là que se sont installés les designers qui font le classicisme suédois. Les prix y sont souvent plus élevés.

Dans **Gamla Stan**, vous trouverez beaucoup de petits antiquaires dont certains spécialisés en objets marins ou en vieilles cartes. La rue Västerlånggatan, dans Gamla Stan, et son prolongement dans Norrmalm, Drottninggatan, constitue l'artère commerciale par excellence, mais pas vraiment la plus intéressante.

Si vous voulez chiner, traînez du côté d'**Odenplan** ; les rues Odengatan et sa perpendiculaire Upplandsgatan regorgent de petits antiquaires.
Sur Södermalm, autour du quartier **SoFo** (Söder om Folkungagatn), sont concentrés beaucoup de jeunes créateurs et de boutiques plus farfelues.

EN PRATIQUE

Les **magasins** ferment souvent assez tôt le samedi après-midi. En revanche, un certain nombre sont ouverts le dimanche.

La période juste après Noël est la plus propice aux **soldes**, *rea* en suédois, abréviation de *realisation*. Un tiers du commerce de Noël s'effectue dans la semaine qui suit Noël. L'autre période traditionnelle de soldes est le début de l'été (passage à la mode d'automne). Les périodes de soldes ne sont pas déterminées de façon précise. Certaines boutiques font deux grosses soldes dans l'année, d'autre quatre.

« Galeries d'art » p. 15.

Gamla Stan

GASTRONOMIE

Gamla Stans Konfektyrbutik – *Västerlånggatan 26 - Ⓜ Gamla Stan- ✆ 21 16 34 - tlj 10h-18h.* Une étape incontournable pour les amateurs de douceurs : nougats, chocolats, berlingot et autres friandises.

ENFANTS

Kalikå – *Österlånggatan 18 - Ⓜ Gamla Stan - ✆ 20 52 19 - www.kalika.se - lun.-vend. 10h-18h, sam. et dim. 10h-16h.* Un beau magasin de jouets avec des créations originales. Plein d'idées pour les tout-petits.

VIKINGS

Handfaste – *Västerlånggatan 73 - Ⓜ Gamla Stan - ✆ 21 07 20 - www.handfaste.se - tlj 10h-18h.* La boutique de souvenirs touristiques par excellence, des armes aux bijoux, en passant par les vêtements et les cornes à boire, tout est dédié aux terribles Vikings, même si les géants blonds suédois étaient moins effrayants que leurs cousins danois et norvégiens.

Södermalm

ARTISANAT

Konsthantverkarna – *Södermalmstorg 4 - Ⓜ Slussen - ✆ 611 03 70 - www.konsthantverkarna.se -*

mar.-vend. 11h-18h, sam. 11h-16h. La plus ancienne coopérative d'artisans de Stockholm rassemble quelque 120 membres, ce qui donne une vue d'ensemble unique sur la production locale, dans de nombreuses matières : céramique, verre, bois, argent…

Blås & Knåda – *Hornsgatan 26A - Ⓜ Zinkensdamm - ☏ 642 77 67 - www.blasknada.se - mar.-vend. 11h-18h, sam. 11h-16h, dim. 12h-16h.* Cette galerie rassemble une cinquantaine d'artisans et d'artistes spécialistes de la céramique et du verre. Objets à tous les prix.

ACCESSOIRES

10-Gruppen/Ten Swedish Designers – *Götgatan 25 - Ⓜ Slussen - ☏ 643 25 04 - www.tiogruppen.com - lun.-vend. 10h-18h30, sam. 11h-17h, dim. 12h-16h.* Une explosion de couleurs et de fantaisie. Tissus, trousses de toilettes, accessoires. Un régal pour les yeux. Créé il y a trente ans par dix designers en réaction au conservatisme du milieu.

LIVRES, DISQUES, PHOTOS

Konst-ig – *Åsögatan 124 - Ⓜ Medborgarplatsen - ☏ 20 45 20 - www.konstig.se - lun.-vend. 11h-18h30, sam. 11h-17h, dim. 12h-16h.* La meilleure librairie en ville pour les livres de design.

Multikulti Stockholms fotoantikvariat – *Torkelknutssonsgatan 31 - Ⓜ Mariatorget - ☏ 669 37 57- www.fotoantikvariat.se - lun.-vend. 12h-18h, sam. 12h-16h.* Un antiquaire spécialisé en livres de photos. Un rendez-vous obligé pour les amateurs, d'autant qu'une galerie expose des photographes connus ou non.

DÉCO

Coctail – *Bondegatan 34 - Ⓜ Medborgarplatsen - ☏ 642 07 41 - www.coctail.nu - lun.-vend. 11h-18h, sam. 11h-16h, dim. 12h-16h.* Une caverne d'Ali Baba dédiée au kitsch, flamants roses en plastique, lapins-lampes, etc.

Granit – *Götgatan 31 - Ⓜ Slussen - ☏ 642 10 68 - www.granit.se - lun.-vend. 10h-19h, sam. 10h-17h, dim. 12h-17h30.* Un des magasins cultes des Stockholmois pour tout ce qui est rangement, où les noir, blanc ou beige sont de mise.

Norrmalm

MODE, DESIGN

NK – *Hamngatan 18-20 - Ⓜ Kundsträdgården - ☏ 762 80 00 - www.nk.se - lun.-vend. 10h-20h, sam. 10h-18h, dim. 11h-17h.* NK (Nordiska Kompaniet) est la grande galerie chic et centenaire du centre de Stockholm. Un temple de la mode et du design sur quatre niveaux.

Åhléns – *Klarabergsgatan 50 - Ⓜ T-Centralen - ☏ 676 60 00 - www.ahlens.se - lun.-vend. 10h-21h, sam. 10h-19h, dim. 11h-19h.* Chaîne de galeries grand public, présente partout en Suède, dont le navire amiral se dresse sur Drottinggatan, entre la gare et NK, son aîné chic.

Design Torget – *Sergelgången 29 - Ⓜ T-Centralen - ☏ 21 91 50 - www.designtorget.se - lun.-vend. 10h-20h, sam. 10h-18h, dim. 11h-18h.* Premier gros vulgarisateur de design en Suède, ce magasin fut le premier et reste le plus important. On en trouve désormais un peu partout en ville.

Articles ménagers et objets de design fonctionnels, créés par de jeunes designers nordiques.

Black Market – *St Eriksgatan 79 - Ⓜ St Eriksplan - ✆ 30 26 60 - http://blackmarketsthlm.se - merc.-vend. 12h-19h, w.-end 12h-17h.* Dans un vieux garage de St Eriksplan, une caverne où s'accumulent les créations de jeunes designers de mode de toute l'Europe.

BIJOUX

Platina – *Odengatan 68 - Ⓜ St Eriksplan - ✆ 300 280 - www.platina.se - mar.-vend. 11h-18h, sam. 11h-15h.* Boutique qui propose tout ce qui existe d'expérimental dans le genre bijouterie, production notamment des élèves de l'école des beaux-arts. Boutique, exposition et atelier.

ANTIQUITÉS

Bacchus Antik – *Upplandsgatan 46 - Ⓜ Odenplan - ✆ 30 54 80 - www.bacchusantik.com - lun.-vend. 12h-18h, sam. 11h-16h.* Une adresse d'antiquaire sûre pour les porcelaines et les céramiques. On y trouve en principe tous les classiques suédois à partir du début des années 1900.

Östermalm

GASTRONOMIE

Riddarbageriet – *Riddargatan 15 - Ⓜ Östermalmstorg - ✆ 660 33 75 - lun.-vend. 8h-18h, sam. 9h-15h.* La meilleure boulangerie de la ville : croissants, éclairs, petits fours, déguster aussi dans le petit salon de thé.

Sturekatten Konditori – *Riddargatan 4 - Ⓜ Östermalmstorg - ✆ 611 16 12 - www.sturekatten.se - lun.-vend. 8h-18h, sam. 9h-18h, dim. 11h-18h.* Une ancienne maison datant de 1740 accueille une boulangerie gourmande et un élégant salon de thé.

MODE

Jus – *Brunnsgatan 7 - Ⓜ Östermalmstorg - ✆ 20 67 77 - www.jus.se - mar.-vend. 12h-18h, sam. 12h-16h.* Aussi surprenant que cela puisse paraître, cette boutique fut la première du genre à Stockholm pour exposer les jeunes créateurs suédois… en 1997. Jus demeure le meilleur rendez-vous de la capitale pour découvrir la mode avant-gardiste.

Filippa K – *Grev Turegatan 18 - Ⓜ Östermalmstorg - ✆ 545 888 88 - www.filippa-k.com - lun.-vend. 11h-18h30, sam. 11h-17h, dim. 12h-16h.* Une créatrice renommée en Suède, parmi les premières à s'être établie de façon durable. Ses créations sont fraîches et colorées.

Acne – *Norrmalmstorg 2 - Ⓜ Östermalmstorg - ✆ 611 64 11 - www.acnestudios.com - lun.-vend. 10h-19h, sam. 10h-17h, dim. 12h-17h - autre adresse : Nytorgsgatan 36 sur Södermalm.* Mode hommes et femmes. À l'origine compagnie publicitaire, Acne lance une centaine de jeans. Depuis, la marque a acquis une réputation internationale et s'est lancée dans le prêt-à-porter mixte. Un incontournable de la mode.

DESIGN

Asplund – *Sibyllegatan 31 - Ⓜ Östermalmstorg - ✆ 662 52 84 - www.asplund.org - lun.-vend. 11h-18h, sam. 11h-16h.* Cette galerie fondée en

Boutique sur l'île de Södermalm.

1990 est un grand classique du design intérieur suédois, où l'on trouve mobilier, objets d'art et les fameux tapis de laine.

Nordiska Galleriet – *Nybrogatan 11 - Ⓜ Östermalmstorg - ✆ 442 83 60 - www.nordiskagalleriet.se - lun.-vend. 10h-18h, sam. 10h-17h, dim. 12h-16h.* Une boutique classique pour le design élégant… mais cher.

Modernity – *Sibyllegatan 6 - Ⓜ Östermalmstorg - ✆ 20 80 25 - www.modernity.se - lun.-vend. 12h-18h, sam. 11h-15h.* Design scandinave de la seconde moitié du 20e s., surtout des années 1940-1960. Une référence incontournable pour trouver les grands classiques.

ARTISANAT

Svensk Hemslöjd – *Norrlandsgatan 20 - Ⓜ Östermalmstorg - ✆ 23 21 15 - www.svenskhemslojd.com - lun.-vend. 10h-18h, sam. 11h-16h.* Boutique d'artisanat classique suédois, tenue depuis 1899 par l'Association pour l'artisanat suédois.

DÉCO

Gamla Lampor – *Sibyllegatan 18 - Ⓜ Östermalmstorg - ✆ 611 90 35 - http://gamla-lampor.se - lun.-vend. 11h-18h, sam. 11h-16h.* Traduction : « Vieilles lampes ». Comme son nom l'indique, beaucoup d'anciens luminaires, mais aussi des modèles plus récents. Quelques meubles choisis complètent le fond de cette boutique.

LIVRES

Hedengrens Bokhandel - *Stureplan 4 - Ⓜ Östermalmstorg - ✆ 611 51 32 - www.hedengrens.se - lun.-vend. 10h-19h, sam. 10h-17h, dim. 12h-17h.* Cette grande librairie, située à l'entrée de la Gallerie de Stureplan, dispose d'un vaste choix, notamment en langues étrangères. Gros rayon cinéma, théâtre, art et design.

En périphérie

DÉCO

Ikea – *Modulvägen 1, Kungens Kurva, - bus Ikea depuis le centre de Stockholm, Regeringsgatan 17 - lun.-vend. 10h-19h (tte les h), dernier retour d'Ikea à 19h30 - www.ikea.com - ✆ 43 90 50 - 10h-20h.* Kungens Kurva, « le virage du roi », est ainsi baptisé car la voiture du roi Gustav V s'y était retrouvée dans le fossé en 1946. Le premier magasin Ikea, qui date de 1965, est le plus gros au monde, situé sur la plus vaste zone commerciale de Scandinavie, au sud de Stockholm. Un concentré de Suède.

MARCHÉ AUX PUCES

Vårbergs Loppmarknad – *P-Huset - Ⓜ Vårberg - ✆ 710 00 60 - www.loppmarknaden.se - lun.-vend. 11h-18h (gratuit), sam. 10-16h (15 SEK), dim. 11h-16h (10 SEK) - fermé j. fériés.* Ce marché couvert avec environ 250 étals est le seul du genre à Stockholm.

Bien-être

Pas de séjour à Stockholm sans passer par ces lieux incontournable de la vie suédoise que sont les **bains** et autres **saunas**. Les prix que nous indiquons correspondent à une formule journée. Le week-end, les tarifs sont plus élevés qu'en semaine.

Centralbadet – *Drottninggatan 88 - Ⓜ Höterget - ✆ 545 213 00 - www.centralbadet.se - lun.-sam. 11h-20h (vend. 21h), dim. 9h-18h - entrée 220 SEK (sam. 320 SEK).* Le superbe Bain Central Art nouveau date de 1904. En plein cœur de la capitale, ce spa propose solarium, soins, piscine, hammam, jacuzzi, bassin chauffé, saunas et bar-restaurant. On peut louer peignoir et serviette. La terrasse dans un jardin intérieur est une véritable havre de paix, lorsque l'on vient de la très commerçante Drottninggatan.

Sturebadet – *Sturegallerian 36 - Ⓜ Östermalmstorg - ✆ 545 015 00 - www.sturebadet.se - lun.-vend. 6h30-22h, w.-end 9h-19h.* Situé dans la galerie Sture, ce spa datant de 1885 est sans doute le plus exclusif de Stockholm. Il propose de nombreux traitements de la tête aux pieds, massages, sauna, piscine, gym. La formule « Exklusiv Spa-dag » *(895/1 295 SEK)* comprend bains, sauna, accès au centre de spa, gym, location de serviette, peignoir, pantoufle, quelques produits, une assiette santé, une coupe de champagne et le repas. Formule sans champagne ni repas *(Spa-dag : 495/895 SEK).*

Axelsons Spa – *Galerie commerciale Gallerian -Hamngatan 37 - Ⓜ T-Centralen - ✆ 440 80 80 - www.axelsonsspa.se - lun.-vend. 10h-20h, sam. 10h-18h, dim. 11h-18h - tarifs selon les soins.* Hans Axelson a créé au début des années 1960 un institut de gymnastique devenu un centre de formation de médecine alternative et de thérapie corporelle. Il est connu par de nombreux Stockholmois qui peuvent bénéficier de soins relativement bon marché réalisés par les étudiants de l'Institut.

Yasuragi Hasseludden – *Hamndalsvägen 6 - Saltsjö-Boo, 15 km à l'est du centre ville - Ⓜ Slussen puis bus 444 dir. Västra Orminge arrêt Orminge centrum, puis bus 417 arrêt Hasseludden - ✆ 747 61 00 - www.yasuragi.se - lun.-sam. 8h-23h.* Yasuragi, détente en japonais, Hasseludden, la pointe du noisetier en suédois. Tout un programme. Le dépaysement assuré en plus de la félicité. Emplacement idyllique pour ce centre situé au bord de l'eau, au milieu d'un bois de pins, à Saltsjö-Boo. Bain japonais, shiatsu, massage aux pierres chaudes, seitai, marche méditative, l'éventail des activités et des traitements est vaste. Deux restaurants et un bar pour combler d'autres sens et aussi des chambres en parfait style japonais pour prolonger la détente.

Plan de ville

Vue sur le Palais royal, depuis le pont de Skeppsholmen orné d'une couronne royale.

D. Sundberg/Tips/Photonon

Visiter Stockholm

Stockholm aujourd'hui

Le complexe de la modernité

Autrefois considérée comme la plus grosse bourgade d'Europe, Stockholm est aujourd'hui sa plus petite métropole. Entre les deux, la capitale suédoise a peu changé de taille, mais de nature. Stockholm souffre encore parfois d'un complexe d'éloignement qu'elle compense par un amour inconsidéré de la modernité. Ici, nulle extase devant une façade lézardée, pas d'amour inconsidéré des vieilles pierres. La moindre fissure témoin des ans est impitoyablement ravalée, ce qui donne de fait à Stockholm, une cité âgée de 750 ans, une patine relativement neuve et soignée, propre et uniforme. Stockholm est à l'image de la Suède, une ville qui semble née à la fin du 19e s. Il fut une époque pas si lointaine où pour effacer toute trace de pauvreté, il fallait construire du neuf. Des blocs entiers ont ainsi été sacrifiés dans le quartier de Norrmalm dans les années 1960. Le neuf comme symbole de la victoire sur la pauvreté et l'inégalité. Le choix de la modernité est sans partage.

Dans les tréfonds de leur âme, bon nombre de Stockholmois pensent que leur pays est le plus civilisé au monde. Cela impose bien sûr une certaine attitude. Stockholm est une ville de posture. Ce n'est peut-être pas pour rien que deux des plus grosses machines mondiales à tendance, Ikea et H&M, sont suédoises.

La ville veut volontiers se décrire comme une capitale cosmopolite. Pourtant, les mélanges sont parfois artificiels. Mais qu'importe, les Suédois sont excellents pour se profiler. Ces dernières années, leurs efforts ont porté pour faire de la capitale suédoise une destination incontournable pour les amateurs de mode et de design, voire de gastronomie. Et on pourrait ajouter de musique.

Une ouverture à la modernité qui fait que vous trouverez à Stockholm les plus fanas d'objets tendance, qui apporteront un soin particulier à l'aménagement de leur intérieur pour les longues et impitoyables soirées d'automne. Ce sont les mêmes Stockholmois qui, le printemps venu, prennent d'assaut leur cabanon dans l'archipel, parfois dénué d'électricité voire d'eau courante, où il n'est plus grand plaisir que de retaper à coups de marteau une idylle loin des tremblements du monde.

Le bien-être avant tout

Vous le découvrirez, les Stockholmois, férus de modernité, font aussi passer leur bien-être avant tout. Le passage des saisons, très marqué ici, donne lieu à des rituels immuables. Au printemps, construction des terrasses de bistrots, réparation et mise à l'eau des bateaux, ruée sur les jardins ouvriers, extase au moindre rayon de soleil, transhumance à la campagne à partir de la Saint-Jean, longues promenades en patins de randonnée l'hiver sur les bras de mer gelés, etc.

Apprêtez-vous à voir des bataillons de jeunes papas qui déambulent derrière un landau, quand ils ne sont pas à une terrasse de bistrot à boire un *caffe latte*, la boisson culte de Stockholm. Au-delà de ces attributs essentiels du Stockhlomois moyen, il existe ainsi des objets identitaires comme le sac bleu Ikea dans les lingeries collectives, le carton à bananes Chiquita qui indique le jeune Stockholmois sur le point de déménager ou le déambulateur qui a transformé la vie des personnes âgées dans ce pays où elles sont, du coup, bien plus visibles dans les rues qu'en France. D'une façon générale, vous verrez combien le handicap est bien mieux pris en compte dans le quotidien des gens. À Stockholm, une personne handicapée peut prendre le métro ou le bus.

La nature aux portes de la ville

À Stockholm, a écrit un voyageur d'un autre siècle, « les places sont des lacs, les rues sont des bras de mer ». La nature est aux portes de la capitale. Au delà du cliché de « Venise du Nord», il existe une vraie harmonie entre cette capitale et l'eau qui la berce. Ses fameux bras de mer permettent au regard de porter loin, d'une rive à l'autre, et, comme une espèce de trompe-l'œil, donnent l'impression d'une ville très étendue alors qu'elle est en fait plutôt ramassée. Mais quelle formidable sensation, palpable surtout quand on arrive en train en venant du sud, de pénétrer brutalement au cœur de la capitale après avoir traversé d'infinies forêts de sapins et bouleaux uniquement éclairées de lacs et colorées de quelques maisons de bois peintes au rouge de Falun.

Stockholm est bâtie sur 14 îles au milieu d'un immense archipel aux 24 000 îles, îlots et rochers, parsemés de petits cabanons de bois au teint de brique. Cet archipel en est le véritable trésor.

La cité s'articule autour de la Vieille Ville (Gamla Stan). Norrmalm, au nord, est plus industrieuse et administrative. Östermalm, le quartier cossu, est résidentiel et calme, à l'exception de sa partie sud-ouest, où le quartier grouille de magasins design.

Promenez-vous longuement sur Södermalm, l'île du sud qui est l'étoile montante de la capitale ces dernières années, et vous comprendrez, à la vue des jardins ouvriers du sud-ouest de l'île, de Vita Bergen avec son point de vue imbattable ou le quartier autour de Sofia Kyrkan avec ses airs de village campagnard et ses petites maisons en bois réservées aux artistes.

Cette proximité, cette imbrication même entre nature et urbanité, est une clef essentielle pour aborder et comprendre la ville et ses habitants. Vous en verrez l'illustration dans le nouveau quartier écolo d'Hammarby Sjöstad, près de Södermalm.

Un sociologue suédois avait écrit récemment « une cabane au cinquième étage » pour résumer comment le Stockholmois de la ville avait conservé une âme de paysan. Sous le modernisme le plus militant se cache toujours un amour tout aussi exclusif pour la nature et la simplicité, pour cet esprit et les lignes qui en pérennisent la pureté. C'est ce mariage souvent réussi qui fait de Stockholm, au choix, une bourgade ou une métropole si attachante.

Gamla Stan★★★

(La Vieille Ville)

Musée grandeur nature, Gamla Stan est le paradis des piétons. Une fois franchi Riksbron ou Vasabron, on a l'impression de remonter le temps : les rues étroites sont bordées de vieilles maisons hanséatiques. Les trois rues principales, Stora Nygatan, Österlånggatan et surtout Västerlånggatan, qui convergent vers l'extrémité sud de la vieille ville, regorgent de boutiques pittoresques (œuvres d'art, objets anciens, vêtements, jouets) ainsi que de cafés faiblement éclairés et de restaurants aux airs de tavernes, dont certains se perdent dans des caves moyenâgeuses.

➔**Accès :** Ⓜ Gamla Stan. Au sud du Palais royal, une vaste place, Slottsbacken, à l'ouest de laquelle est édifiée Storkyrkan, débouche sur Skeppsbron. Plan de quartier p. 44. **Plan détachable D5-6.**

➔**Conseil :** la rue Västerlånggatan est la plus touristique. N'hésitez pas à la quitter pour vous perdre dans les ruelles de la partie orientale, derrière le château.

La Vieille Ville comprend **Stadsholmen**, site d'origine, **Riddarholmen** et ses tribunaux, **Helgeandsholmen**, entièrement occupée par l'édifice du Parlement, et **Strömsborg**, îlot minuscule encore inhabité au 18e s. Les premiers remparts de la ville (1250), simple muraille de pierre qui donna à la cité sa forme caractéristique en forme de cœur, s'élevaient dans le périmètre délimité par **Österlånggatan** et **Västerlånggatan**, les deux Rues Longues. À la fin du 14e s., une nouvelle muraille remplaça l'ancienne et les Rues Longues se trouvèrent cette fois à l'intérieur des remparts. Le centre du commerce avec l'étranger était situé à l'extrémité sud de **Skeppsbron** ; les principales matières premières exportées étaient le cuivre et le fer, que l'on pesait à **Järntorget** (la place du Fer). Les marchandises destinées à l'exportation étaient chargées au port de Kornhamn, actuellement **Kornhamnstorg** du côté de l'île baigné par le lac Mälaren. En raison de son dédale de ruelles bordées d'édifices en bois, la cité fut dévastée par plusieurs incendies. Sa reconstruction au 17e s. lui donna l'aspect qu'elle a conservé.

Slottsbacken

(Colline du Château)

La colline du Château, qui descend en pente raide jusqu'au bord de l'eau, offre de belles vues sur les imposants musées situés de l'autre côté du chenal. L'architecte royal Tessin le Jeune a construit pour lui-même l'élégant **Tessinska palatset** face au Palais royal. Il devait faire partie de l'ensemble d'édifices prévus autour du palais, mais

Vue sur la cathédrale dans la Vieille ville.

ANTIK
RESTAURANT
GAMLA
KEBAB

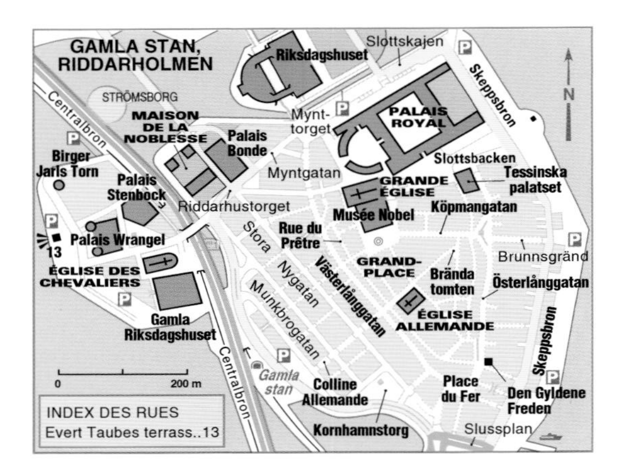

les guerres interminables de Charles XII ruinèrent le projet. Le palais Tessin est aujourd'hui la résidence officielle des gouverneurs de la province de Stockholm. La célèbre **statue de Gustave III** réalisée par Sergel se trouve au bord de l'eau.

Skeppsbron

Pendant des siècles, Skeppsbron fut la vitrine de Stockholm, la première vision de la ville lorsqu'on arrivait par bateau. De nos jours, c'est l'une des artères les plus passantes, reliant les quartiers nord de Stockholm aux quartiers sud. Les édifices imposants, s'alignant au bord de l'eau, sont un héritage des 17e et 18e s., époque où Skeppsbron se composait d'une rangée de maisons de commerce appartenant à de riches marchands, surnommés « l'aristocratie de Skeppsbron ».

Storkyrkan★★

(Cathédrale)

Ⓜ *Gamla Stan. Accès par Trångsund - ✆ 723 30 16 - www. stockholmsdomkyrkoforsamling.se - juil.-août : 9h-18h (w.-end 9h-16h) ; reste de l'année : 9h-16h - 40 SEK (-18 ans gratuit). Visites guidées en anglais merc. à 10h15 et jeudi à 9h15.*

La **Grande Église**, où l'on célèbre les mariages royaux et les couronnements, était au Moyen Âge la seule église paroissiale de la ville. Construite vers 1279, elle fut consacrée en 1306. L'extérieur fut agrémenté d'une façade baroque et d'une tour lanterne dans les années 1740, afin d'harmoniser l'édifice avec le Palais royal, tout proche. L'aménagement de l'intérieur est le résultat de plusieurs agrandissements effectués au cours des 14e et 15e s.

Cette imposante église de style gothique tardif, aux solides piliers de brique rouge surmontés d'une haute voûte en étoile, est agrémentée d'un somptueux mobilier baroque. La **chaire** (datant d'environ 1700) et une partie de la **tribune** nord (1686) avec ses décorations dorées sont l'œuvre du célèbre Burchardt Precht, immigré allemand, qui réalisa également les **bancs royaux** d'après des dessins de Tessin le Jeune.

Derrière le banc royal, du côté sud, on verra un amusant **monument** (1933) réalisé par **Carl Milles** à la mémoire des trois générations de la famille Tessin. Le magnifique **autel** d'argent, d'ébène et d'ivoire, date environ de 1640.

L'œuvre d'art la plus remarquable est cependant l'extraordinaire groupe du 15e s. représentant **saint Georges terrassant le dragon★★★**, monument commémorant la victoire des Suédois sur les Danois (le dragon) à la bataille de Brunkeberg en 1471. Cette sculpture sur bois exécutée par **Bernt Notke**, maître sculpteur de Lübeck qui exerça à Stockholm entre 1483 et 1498, est considérée comme l'un des chefs-d'œuvre de la sculpture médiévale en Europe du Nord. Le collier du dragon est en bois d'élan ; à côté de saint Georges (Sten Sture), on peut voir la silhouette d'une princesse (Stockholm) sur un socle en forme de château à pinacles. La sculpture fut commandée par le héros lui-même, le régent **Sten Sture l'Ancien**. Sur le mur sud, près de l'entrée, se trouve un autre élément intéressant, le **Parhelion** (1535) représentant Stockholm, peinte sous un halo (une copie est exposée au Musée médiéval).

Stortorget★

(Grand-Place)

Le cœur même du Vieux Stockholm, la Grand-Place, occupe le site le plus élevé de l'île. C'était au Moyen Âge un lieu de négoce bruyant d'où partaient des

LE BAIN DE SANG DE STOCKHOLM

L'archevêque d'Uppsala, **Gustav Trolle**, *réclamait au roi Christian II le châtiment des partisans du défunt régent Sten Sture le Jeune. La veuve de ce dernier, pour défendre sa mémoire et les membres du parti national suédois dont elle eut l'imprudence de citer les noms, accusa le clergé d'être responsable de la révolte en raison de ses exactions. Outré, le roi déclara hérétiques les nationalistes ainsi désignés et les fit arrêter lors de son sacre le 3 novembre 1520. Le 8, il les fit exécuter sur la place qui était alors la place du Marché. Parmi les 82 victimes figuraient Éric Vasa, père du futur roi Gustave Ier, et son gendre, Joachim Brahe.*

« On ne fait rien avec la douceur ; les moyens les plus efficaces sont ceux avec lesquels on ébranle les corps », avouait le roi au philosophe Érasme. Reprenant sans doute la leçon à son compte, Gustave Vasa soulèvera la Dalécarlie à la première occasion…

chemins que parcouraient les porteurs transbordant les marchandises entre la Baltique et le lac Mälaren. La place était aussi un lieu d'exécution et elle fut en 1520 le siège d'un événement horrible, le **bain de sang de Stockholm** *(encadré p. 45)*.
La place se distingue par les élégantes façades de ses maisons des 17e et 18e s. Elle est particulièrement vivante lors de la **foire de Noël** début décembre, quand badauds et visiteurs boivent du vin chaud *(glögg)* pour se réchauffer en flânant parmi les étals.

Börsen

(Bourse)
La Bourse est un grand édifice de style rococo tardif construit en 1776 à l'emplacement de l'ancien hôtel de ville. C'est ici que les 18 membres de l'Académie suédoise, fondée par le roi Gustave III en 1786, se réunissent régulièrement et c'est également d'ici que, traditionnellement, le nom du **lauréat du prix Nobel** de littérature est révélé à la presse internationale au mois d'octobre.

Nobelmuseet

(Musée Nobel)
Stortorget - ✆ 534 818 00 - www.nobelmuseum.se - juin-août : tlj 10h-20h ; reste de l'année : mar. 11h-20h, merc.-dim. 11h-17h - fermé lun. - 100 SEK (-18 ans gratuit).
Le musée Nobel couvre tous les prix Nobel attribués en Suède (physique, chimie, médecine, littérature). Celui de la paix est décerné par la Norvège. Le prix d'économie est un « faux Nobel », puisqu'il est attribué par la Banque de Suède « à la mémoire d'Alfred Nobel ». Le musée rend hommage à tous les lauréats dont les portraits défilent au plafond. Expositions souvent renouvelées. Le **Bistrot Nobel** sert le déjeuner de 11h à 14h.
Un nouveau centre Nobel devrait ouvrir ses portes en 2018 sur Blasieholmen, derrière le Musée national.

Köpmangatan

(Rue du Marchand)
Cette rue bordée de magasins d'antiquités, de design et de boutiques de brocanteurs est la plus ancienne dont le nom ait été enregistré (1323). Elle était alors la principale artère entre la place aux poissons, à l'est, où les bateaux venaient décharger leurs prises, et Stortorget, la Grand place, qui était alors le centre marchand de la cité.

Brända tomten

À la suite de l'incendie partiel d'un pâté de maisons à la fin des années 1730, on créa une place permettant le demi-tour des voitures. « Brända Tomten » signifie « emplacement incendié ». Superbe petite place triangulaire, c'est un endroit idéal pour une petite pause, sur l'un des bancs face à un magasin où l'on trouve de vieux jouets.

Köpmantorget

(Place du Marchand)
La porte est de la cité fut démolie en 1685. Une copie en bronze (1912) du monument de saint Georges

Intérieur de la cathédrale.

terrassant le dragon (l'original est dans la cathédrale), surplombe cette place d'où partent de nombreuses ruelles.

Österlånggatan★

(Rue longue orientale)

Situées à l'extérieur des premiers remparts, Österlånggatan et Västerlånggatan marquaient les limites de la cité d'origine en forme de cœur. Österlånggatan était reliée au port par d'étroites ruelles et venelles qui étaient envahies par les marins et les dockers qui fréquentaient les auberges, les tavernes et les marchands de fournitures pour la marine. De nos jours, Österlånggatan est une rue commerçante agréable, bordée de boutiques de potiers, de magasins de mode et de galeries.

Au n° 51, la taverne la plus ancienne et la plus célèbre de Suède, **Den Gyldene Freden** (la Paix dorée – *p. 22*), ouvrit ses portes en 1721, au moment où le traité de paix entre la Suède et la Russie mettait fin aux guerres de Charles XII. Depuis le 18e s., l'établissement est le lieu de prédilection des poètes. Le peintre Anders Zorn acheta le bâtiment en 1919, puis le légua plus tard à l'Académie suédoise, qui y organise ses dîners traditionnels du jeudi.

Järntorget

(Place du Fer)

Tournant le dos à l'édifice qui abrita de 1680 à 1906 la Banque de Suède, plus ancienne banque nationale du monde, la statue du poète **Evert Taube** (1890-1976), se dresse sur le trottoir est de la place du Fer. Point de jonction entre les deux principales artères de la Vieille Ville, c'est ici que le fer fut livré et pesé jusqu'en 1622.

Västerlånggatan

(Rue longue occidentale)

Cette rue animée bordée de boutiques fait pendant à Österlånggatan. Au n° 81, une étroite ruelle aux marches raides, **Mårten Trotzigs gränd**, témoigne de la différence de niveau entre le plateau de Stadsholmen et les rives du lac Mälaren. Dans la version suédoise du jeu Monopoly, c'est l'une des deux rues les moins chères de Stockholm. Olof Palme, le premier ministre social-démocrate assassiné en 1986, habitait au n° 31 et l'avait quitté à pied pour aller au cinéma le soir de sa mort.

Tyska brinken

(Colline allemande)

Comme les autres rues adjacentes à l'église allemande, le nom de la Colline allemande rappelle l'influence germanique dans la ville au temps de la toute-puissance de la Ligue hanséatique, entre les 12e et 17e s.

Tyska kyrkan★

(Église allemande)

411 11 88 (9h-12h) - mai-sept. : 12h-16h ; reste de l'année : w.-end 12h-16h.

En 1565, la communauté finlandaise reçut de la ville l'hôtel des corporations allemandes, l'agrandit et le transforma en église, qu'utilisèrent conjointement

Finlandais et Allemands. En 1601, les Finlandais ayant été écartés, l'édifice prit le nom d'église allemande, qui fut dédiée à **sainte Gertrude**, patronne des voyageurs, des marchands et des marins.
La riche décoration date de cette époque. La chaire d'ébène (1660), soutenue par un ange à genoux, est ornée de plusieurs personnages en albâtre représentant les apôtres. La tribune royale, située dans un angle, agrémentée d'anges, de décorations et de dorures, fut dessinée par Tessin l'Ancien, membre de la paroisse.

Prästgatan

(Rue du Prêtre)

La longue et silencieuse rue du Prêtre, ainsi nommée car plusieurs prêtres y habitaient, a gardé son caractère médiéval. Les poutres saillant des pignons servaient jadis à faire monter les provisions dans les appartements et les marchandises dans les greniers où elles étaient stockées.
La partie nord de la rue a, par le passé, été surnommée « la ruelle de l'enfer », à cause d'un cimetière profané près de la cathédrale, mais aussi vraisemblablement parce que le bourreau y habitait.

Bondeska palatset

(Palais Bonde)

Dessiné par Jean de la Vallée et Tessin l'Ancien entre 1662 et 1673, inspiré par le style Renaissance et baroque français, le palais avait été prévu comme logement pour le grand Argentier du royaume, Gustav Bonde, qui décéda en 1667. Depuis le 18e s., le palais a hébergé différentes administrations. Il abrite la Cour suprême depuis 1949. C'est l'un des monuments architectoniques les plus importants de l'époque où la Suède était une grande puissance.

Riddarhuset★

(Maison de la noblesse)

Riddarhustorget 10 - Ⓜ Gamla Stan - ✆ 723 39 90 - www.riddarhuset.se - lun.-vend. 11h30-12h30 - fermé w.-end et j. fériés - 50 SEK.

Avec ses deux pavillons au bord de l'eau, l'élégante Maison de la noblesse, ou **palais des Chevaliers**, est considérée comme l'un des plus beaux édifices de Stockholm. Elle fut commanditée par la noblesse et érigée entre 1641 et 1674 dans le style baroque selon les plans de plusieurs architectes, dont Simon et Jean de la Vallée. Les aristocrates, formant l'un des quatre ordres gouvernant le pays, s'y réunissaient régulièrement. Riddarhuset appartient toujours à la noblesse suédoise.
La brique rouge pâle est agrémentée de splendides pilastres en grès de couleur grise, de frontons et de guirlandes de fruits, dont les lignes et les couleurs s'harmonisent avec la courbe du toit de cuivre verdi par le temps.
La **grande salle**, dont les murs sont revêtus des 2 326 armoiries de l'aristocratie suédoise et sur laquelle plane « La Mère Suède » (*Moder Svea,* peinture de 1675 par David Klöcker Ehrenstrahl), forme un cadre fascinant pour les **concerts** animant les soirées d'été.

Kungliga Slottet★★

(Palais royal)

D'aspect massif vu de l'extérieur, résidence officielle (mais non permanente) du roi de Suède tout autant que lieu de représentation, le Palais royal est l'un des plus gros châteaux d'Europe. Composé de 608 salles, réparties sur sept niveaux, c'est une véritable ruche où pas moins de 200 personnes travaillent. Les visiteurs peuvent néanmoins découvrir ses splendides intérieurs.

➔**Accès :** Ⓜ Gamla Stan. Bus 2, 3, 43, 55, 59, 76. Plan de quartier p. 44.
Plan détachable D5.

➔**Conseil :** c'est tôt le matin que la lumière est la plus belle sur le Palais. Ne manquez pas les salles de réception des 18e et 19e s.

Le premier palais royal de Stockholm s'appelait le **Tre Kronor (Château des « Trois Couronnes »)** ; il se développa autour d'un donjon érigé vers 1 200 pour devenir, sous le règne de Gustave Vasa, une citadelle puissamment fortifiée. Sous le règne de son fils Jean III, elle fut agrémentée de splendides façades Renaissance.

La **famille Tessin** joua un rôle prépondérant dans l'évolution de l'art et de l'architecture suédois durant trois générations, toutes trois associées au sort du palais royal. **Nicodemus Tessin l'Ancien** (1615-1681) dessina dans les années 1660 les plans et les esquisses d'un édifice entièrement nouveau. Mais ce fut son fils, **Nicodemus Tessin le Jeune** (1654-1728), profondément influencé par l'architecture classique de Rome, qui réalisa la reconstruction de l'aile nord du palais dans le style baroque romain. La mort de Charles XI en 1697 coïncida avec l'incendie qui détruisit complètement l'ancien palais, à l'exception de la récente aile nord, qui devint le noyau d'un nouveau palais de style Renaissance italienne et baroque romain. Les travaux commencèrent au moment où Charles XII était entraîné dans la Grande Guerre du Nord et ne furent achevés qu'en 1754. **Carl Gustaf Tessin** (1695-1770) prit la suite de son père et surveilla l'achèvement des travaux.

Mais la direction réelle revint cependant à **Carl Hårleman** (1700-1753), qui respecta les plans d'origine.

La famille royale emménagea dans sa nouvelle résidence en 1754, bien que les décorations intérieures se soient poursuivies jusque dans les années 1770.

De nos jours, le roi et la reine ont leurs bureaux dans le Palais royal, qui est régulièrement utilisé pour les manifestations officielles.

Visite

✆ 402 60 00 - www.kungahuset.se - ♿ - mi-mai-mi-sept. : tlj 10h-17h ; reste de l'année : mar.-dim. 10h-16h - possibilité de visite guidée en anglais - fermé les 3 dern. sem. de janv. et j. fériés - appartements

Palais royal.

royaux, Trésor, musée du Château (+ musée des Antiquités en été) : 150 SEK (7-18 ans 75 SEK, -7 ans gratuit).

Extérieur

Le palais actuel a la forme d'un imposant quadrilatère, dont les bâtiments sont disposés autour d'une cour centrale pavée. Deux ailes, qui enserrent une terrasse, s'étendent vers l'est et le bord de l'eau.
La **relève de la garde** *(lun.-sam. à 12h, dim. et j. fériés à 13h10)* a pour cadre la cour en demi-cercle qui orne la façade ouest, tandis que la façade principale, située au nord, du côté du fleuve, est précédée de deux rampes monumentales.

Representations våningarna★★

(Appartements royaux)

Entrée par l'arche ouest (Västra Valvet) - les salles peuvent être partiellement ou totalement fermée lors de cérémonies.
Les **appartements d'apparat** *(2e étage de l'aile nord),* décorés dans les années 1690 par des artistes français de renom d'après les dessins de Tessin le Jeune, constituent les salles les plus anciennes du palais. La galerie de Charles XI offre un cadre somptueux aux banquets officiels qui précèdent les bals donnés dans la magnifique salle connue sous le nom de Mer blanche. Dans la chambre d'apparat de Gustave III, les décorations de style rococo français furent réalisées par **Jean Eric Rehn**.

Carl Hårleman dessina lui-même les **appartements Bernadotte** *(1er étage de l'aile nord).* C'est dans la salle des Colonnes qu'ont lieu les remises de décorations, tandis que l'investiture des ambassadeurs étrangers se déroule dans le cabinet octogonal situé à l'est, l'une des plus belles salles rococo.
Les **appartements des hôtes** *(aile ouest)* furent également conçus par Jean Eric Rehn. Le travail fut exécuté dans les années 1760-1770 ; la décoration des pièces principales reflète l'évolution de la mode en matière de style, le classicisme gustavien se substituant au rococo français, qui domine dans la chambre à coucher principale.

Tre Kronor Museum

(Musée du château des Trois Couronnes)

Entrée par l'aile nord, face au pont de Norrbro.
Les parties basses de l'aile nord abritent ce musée, où les visiteurs peuvent contempler les vestiges de l'ancien château. Ce fut la partie la plus épargnée par l'incendie de 1697.

Gustav III:s Antikmuseum

(Musée de l'Antiquité Gustave III)

Entrée par l'aile nord - de mi-mai à mi-sept. : 10h-17h.
Deux longues galeries abritent 200 sculptures, pour la plupart achetées par Gustave III lors d'un voyage en Italie. Ce musée, plus de deux fois centenaire, est l'un des plus anciens d'Europe. La

LA FAMILLE ROYALE ET LES SUÉDOIS

Comment les Suédois, champions du monde de l'égalitarisme, gèrent-ils le fait d'être dirigés par un souverain ? Très bien, merci pour eux. Les héritiers de la dynastie Bernadotte n'ont quasiment aucun pouvoir et semblent parfaitement s'en contenter. Certains partis politiques réclament régulièrement le démantèlement de la monarchie, mais c'est plus pour la forme. Les monarques suédois sont discrets, populaires, plutôt parcimonieux et le roi, lorsqu'il voyage à l'étranger, est un formidable ouvreur de portes pour les entreprises suédoises.

pièce maîtresse en est *Endymion*, qui fit paraît-il grande impression à l'époque.

Slottskyrkan

(Chapelle royale)

Accès par l'arche sud (Södra Valvet) - mi-mai-mi-sept. 10h-17h ; tte l'année : dim. 11h (office).

À l'origine de style baroque, la chapelle fut décorée dans le style rococo par Carl Hårleman en 1754, en grande partie d'après des dessins de Tessin le Jeune.

Rikssalen

(Salle du Trône)

Accès par l'arche sud (Södra Valvet).

Cet ensemble harmonieux combine la rigueur du classicisme de Tessin et la délicatesse du style rococo d'Hårleman. Le trône d'argent de la reine Christine, réalisé pour son couronnement en 1650, est l'un des rares meubles fabriqués avec ce métal.

Skattkammaren★★

(Salle du Trésor)

Accès par l'arche sud (Södra Valvet).

La salle réunit les joyaux de la Couronne suédoise : la magnifique couronne, le sceptre, la pomme et la clé considérés comme les principaux emblèmes de l'État datent du couronnement d'Éric XIV en 1561. D'autres pièces furent ajoutées au cours des siècles, la dernière en date étant une couronne de prince de 1902. Le roi Oscar II fut le dernier à être couronné en 1873. De nos jours, les couronnes sont placées de façon symbolique de chaque côté du couple royal lors de certaines cérémonies officielles.

Livrustkammaren★★

(Arsenal royal)

Slottsbacken 3 - ✆ 402 30 30 - ♿ - www.livrustkammaren.se - ♿ - juil.-15 août : 10h-18h ; mai-juin : 10h-17h ; reste de l'année: mar.-dim. 11h-17h (jeu. 20h) - fermé j. fériés - 90 SEK (-18 ans gratuit).

Les parties basses du palais constituent un cadre idéal pour la collection de l'Arsenal, fondé en 1628. De magnifiques carrosses d'apparat, des armures et des armes utilisées lors des cérémonies officielles, des vêtements portés pour les couronnements, le costume de Gustave III au bal masqué qui lui coûta la vie (*encadré p. 72*) y sont exposés.

Helgeandsholmen

(Île du Saint-Esprit)

Trois îlots émergés des flots et progressivement comblés constituent cette île à la forme ovale et peu naturelle. C'est là où fut construit, au Moyen Âge, la maison du Saint-Esprit pour accueillir les pauvres et les malades. Aujourd'hui, l'île n'accueille plus que les députés.

➔**Accès :** Ⓜ Kungsträdgården. La petite île du Saint-Esprit se situe au nord-ouest du Palais royal. Plan de quartier p. 44. **Plan détachable CD 5.**

➔**Conseil :** un petit spectacle toujours étonnant en pleine capitale est celui des quelques pêcheurs, sur les abords de l'île, qui taquinent saumons et truites.

Riksdagshuset

(Palais du Parlement)

Accès par Riksgatan 3A - ✆ 786 48 62 (lun.-jeu. 9h-11h) - www.riksdagen.se - de fin juin à fin août : visite guidée en anglais (1h) à 12h, 13h, 14h et 15h ; de déb. sept. à fin juin : sam. et dim. à 13h30 - gratuit. Les visites guidées permettent de faire le tour des différents bâtiments.

L'édifice à piliers, avec la statue de *Moder Svea* (La Mère Suède) du côté de Norrbro, fut construit spécialement pour le Parlement en 1905. Le second édifice, à l'ouest de Riksgatan, abrita la Banque de Suède entre 1906 et 1975. Lorsque le système de parlement à chambre unique fut introduit en 1971, les deux bâtiments furent entièrement réaménagés et réunis par des passerelles.

La visite donne un aperçu de l'histoire et du travail du Parlement, ainsi que de la Constitution suédoise. Le bâtiment du premier Parlement consiste en un mélange unique de neuf et d'ancien, et l'on peut voir les deux chambres.

Medeltidsmuseet★★

(Musée médiéval)

Strömparterren (prendre devant le Riksdagshuset l'escalier qui descend vers Norrbro) - ✆ 508 316 20 - www.medeltidsmuseet.stockholm.se - ♿ - 12h-17h (merc. 19h) ; fermé lun. sauf juin-sept. 100 SEK (-19 ans gratuit) billet combiné avec le musée municipal.

L'emplacement souterrain du musée du Stockholm médiéval fut retenu après la mise au jour, lors de travaux d'excavation, de plusieurs sections des remparts de Gustave Vasa, aujourd'hui incorporées dans le bâtiment.

Au long de l'agréable parcours, on voit comment s'est développée la cité, depuis sa fondation par Birger Jarl en passant par le traité signé avec la ville de Lübeck et l'établissement des premiers monastères jusqu'aux années prospères de la Ligue hanséatique.

La sculpture de Carl Milles, *Le Chantre du Soleil*, érigée en 1926, se dresse face à l'entrée.

Palais du Parlement.

Riddarholmen★

(Île des Chevaliers)

L'île des Chevaliers et des Nobles est un remarquable havre de paix. Des moines franciscains s'y établirent vers 1270, peu après la fondation de la cité, d'où son premier nom d'île des moines gris. Au 17e s., des aristocrates y construisirent de superbes hôtels particuliers. Quelques privilégiés y demeurent encore, mais les palais sont occupés par des institutions publiques.

➔**Accès :** Ⓜ Gamla Stan. Plan de quartier p. 44. **Plan détachable D5.**

➔**Conseil :** la promenade sur la partie ouest offre l'un des plus beaux panoramas de la capitale. Attention aux chevilles, beaucoup de pavés…

Riddarholmskyrkan★

(Église des Chevaliers)

☏ 402 61 30 - www.kungahuset.se - ouv. mi mai-mi sept. : 10h-17h - possibilité de visite guidée en anglais à 12h - 40 SEK (7-18 ans 20 SEK).

L'église de Riddarholm constitue l'équivalent suédois du Panthéon, et demeure l'unique monastère de l'époque médiévale ayant survécu à l'épreuve du temps. Sa construction en brique par les moines franciscains fut entreprise vers 1270, selon la tradition française d'un bâtiment à voûtes transversales et deux collatéraux. L'ensemble fut consacré vers 1300. Au fil des siècles, plusieurs chapelles ont été ajoutées à l'édifice, mais ce n'est qu'après le grand incendie de 1835 que fut érigée la flèche en fonte ouvragée. Cette dernière adjonction fait aujourd'hui partie des symboles caractérisant la ville de Stockholm. Les principaux centres d'intérêt de l'église sont les chapelles funéraires. Celle de Charles, dans la partie nord du chœur, comprend deux étages. Les deux personnages couchés en face du maître-autel sont des rois médiévaux : **Karl Knutsson Bonde** et **Magnus Ladulås**, les fondateurs du monastère. La partie sud héberge les chapelles de **Gustave Adolphe** et des **Bernadotte** avec leurs imposants sarcophages. Près des murs sont exposées les armures des chevaliers de l'ordre des Séraphins (fondé en 1748), le plus important des ordres suédois.

Gamla Riksdagshuset

(Ancien palais du Parlement)

Birger Jarls Torg 5, au sud de l'église - actuellement, la seule visite possible se fait par les toits - la société Upplev mer (☏ 223 005 - http://upplevmer.se) organise l'été des visites de 90 mn pour 525 SEK, casque et harnais compris - règles de sécurité contraignantes qui nécessitent de comprendre l'anglais.

De 1834 à 1866, tous les représentants du clergé, de la bourgeoisie et des paysans se réunirent dans cet édifice, qui abrita ensuite le Parlement jusqu'à son transfert en 1905 dans l'imposant Riksdagshuset sur Helgeandsholmen.

Le bâtiment, qui fut totalement rénové à la fin des années 1990, accueille aujourd'hui plusieurs tribunaux, de la Cour d'appel administrative à la Cour suprême.

Birger Jarls Torg

Cette place triangulaire pavée et bordée de palais doit son nom à la statue de Birger Jarl, père de la dynastie des Folkung, fondateur de Stockholm, qui joua un rôle central dans l'édification du royaume de Suède. La place s'appelait Riddarholmstorget (place de l'île des Chevaliers) jusqu'à l'édification de la statue en 1854. Avant qu'un incendie ne ravage l'île en 1802, un cimetière occupait cet espace.

Stenbockska palatset

(Palais Stenbock)
Élégant édifice rouge construit au milieu du 17e s. sous la direction de Tessin l'Ancien. Il appartint notamment à l'homme politique Erik Brahe au milieu du 18e s. Celui-ci participa à une tentative de coup d'état pour renforcer le pouvoir affaibli du roi Adolf Fredrik. Condamné pour trahison, il fut décapité sur la place. Le palais Stenbock est depuis 1972 le siège de la Cour suprême administrative *(Regeringsrätten)*.

Wrangelska palatset

(Palais Wrangel)
Cet hôtel particulier doté de son propre port (Riddarfjärden, la « Baie du Chevalier » en suédois) sur le lac Mälaren fut conçu au début du 17e s. par Tessin l'Ancien et Jean de la Vallée pour le compte de Carl Gustav Wrangel. Plusieurs fois endommagé par des incendies, il a perdu une grande partie de son ancienne splendeur.
Lorsque le Palais royal fut détruit en 1697, le palais Wrangel servit de résidence provisoire à la famille royale jusqu'en 1754. La cour d'appel *(Svea hovrätt)* occupe le bâtiment depuis 1757.
La tour sud, qui constitue la partie la plus ancienne, faisait autrefois partie des fortifications construites par Gustave Vasa.

Evert Taubes terrass

Une **statue** *(sur la droite)* rappelle le souvenir du populaire poète et troubadour Evert Taube (1890-1976).
On découvre une splendide **vue★★** de Riddarfjärden : le Västerbron (pont de l'Ouest) est droit devant, l'hôtel de ville en brique rouge à droite, et les hauteurs du quartier sud à gauche.
Le **Mälardrottningen**, yacht blanc amarré sur la gauche, qui appartint autrefois à la milliardaire américaine Barbara Hutton, est aujourd'hui un hôtel-restaurant flottant très en vogue *(➲ p. 20)*.

Birger Jarls torn

(Tour Birger Jarl)
Face à l'hôtel de ville. Tout comme la tour sud du palais Wrangel, la tour Birger Jarl faisait partie de l'enceinte édifiée par **Gustave Vasa** vers 1530 et n'a rien à voir avec Birger Jarl, qui a vécu 300 ans plus tôt. La tour a été coiffée d'un toit au milieu du 18e s. et repeinte en 1995.

Södermalm : à l'est de Götgatan★★

Épousant la forme d'une amande, Södermalm, l'île du sud (« Söder » pour les locaux), est la plus grande île de la capitale. Cet ancien fief ouvrier où les artistes fauchés se sont réfugiés est devenu le quartier le plus branché et le plus en vogue de la capitale, où le prix du mètre carré s'est envolé...

➔**Accès :** les bus 2, 3 et 53 permettent d'aller de Slussen à Renstiernas gata, où un escalier (celui du bas) conduit à Fjällgatan. Ⓜ Slussen, Medborgarplatsen ou Skanstull. **Plan détachable DF6-8.**

➔**Conseil :** si on dispose d'un peu de temps (30mn), on peut, en passant par Mosebacke torg (accès à cette place par Urvädersgränd, 2e rue à gauche en partant de Götgatan) et l'église Katarina kyrka, bénéficier de nombreuses vues sur la ville et traverser des quartiers du 18e s.

Bienvenue dans le cœur bobo de Stockholm, où règne une atmosphère décontractée, entre bars et petites boutiques. Riche en contrastes, ce quartier offre des vues magnifiques, de charmants ensembles de maisons en bois ainsi que des créations modernes, dont l'Arc de Bofill. Bordée par une crête parallèle à Söder Mälarstrand, Södermalm s'appela tout d'abord l'île à la Crête (Åsö). Les premiers habitants étaient pêcheurs, marins ou artisans. Il subsiste quelques maisons du 17e s., époque à la fin de laquelle aristocrates et riches bourgeois entreprirent d'ériger d'imposantes résidences d'été. Au 18e s., de petites fabriques furent créées autour du **lac Fatbur**, dont les abords formèrent bientôt un quartier ouvrier. Au cours des dernières décennies Södermalm est redevenu un quartier très à la mode et couru par les artistes. Il doit notamment son succès à *Millenium* de Stieg Larsson, dont une partie de l'action se déroule dans ses rues.

Götgatan

D6-7 Au Moyen Âge, Götgatan était la principale sortie de Stockholm vers le sud. De nos jours, on aperçoit au sud une immense forme sphérique, le **Ericsson Globe**, lieu populaire destiné aux manifestations sportives et aux concerts.

Slussen

D6 L'endroit tire son nom de l'**écluse** établie ici jadis entre les deux îles de Södermalm et de Stadsholmen, et séparant les eaux saumâtres de la Baltique (surnommée localement « la mer salée ») des eaux douces du lac Mälaren. La première écluse fut construite vers 1640. La nouvelle écluse construite au 19e s. devint obsolète en 1935, lorsque la navigation fut détournée plus au sud. À l'emplacement

Vue sur l'île de Sodermalm depuis l'Hôtel de ville.

de l'écluse a été aménagé un échangeur routier. Véritable défi urbanistique régulièrement débattu, Slussen devrait être complètement refait entre d'ici 2020 pour un coût de plus de 600 millions d'euros.

Stadsmuseum

(Musée municipal)
D6 *Ryssgården - Slussen - ✆ 508 31 600 - www.stadsmuseum.stockholm.se - ♿ - tlj sf lun. 11h-17h (jeu. 20h) - 100 SEK (gratuit -19 ans) billet combiné avec le musée médiéval.*
Il est situé dans un édifice italien de style baroque conçu par Tessin l'Ancien pour servir d'hôtel de ville au sud de Stockholm. Les expositions couvrent l'histoire de la capitale. Le dimanche à 11h30 le musée organise des visites guidées sur les traces des héros de *Millenium*, les polars de Stieg Larsson.

Urvädersgränd

D6 Au n° 3, le poète **Carl Michael Bellman** (1740-1795) occupait deux petites pièces au moment où il écrivit une grande partie des *Épîtres de Fredman*. La rue pavée en pente raide est un vestige des temps médiévaux.

Katarinahissen

(Ascenseur de Catherine)
D6 Chef-d'œuvre d'innovation technique lorsqu'il fut construit en 1883 (reconstruit en 1935), cet ascenseur permettait de monter rapidement sur les hauteurs de Södermalm. Il fut la première « clef » qui permit de désenclaver Södermalm du reste de la capitale. L'ascenseur, en mauvais état, a été fermé en 2010. Il faudra attendre la fin des travaux de Slussen pour espérer voir un nouvel ascenseur en marche.

Fotografiska

(Musée de la Photo)
E6 *Stadsgårdshamnen 22 - ✆ 509 00 500 - www.fotografiska.eu - dim.-merc. 9h-21h, jeu.-sam. 9h-23h - 120 SEK (-12 ans gratuit).*
Ce musée a pris ses quartiers en 2010 dans un vieux bâtiment des douanes en brique. La qualité des expositions temporaires qu'il propose et la situation de rêve au bord de l'eau en pleine ville (admirable depuis le café-restaurant), lui ont valu un succès immédiat.

Mosebacke torg

D6 Cette place est dominée par le plus ancien théâtre de Stockholm, **Södra teatern** (Théâtre du Sud), érigé en 1859, et par un château d'eau, datant de 1895. L'arche à droite du théâtre mène à la **terrasse de Mosebacke**, très populaire en été. Pour écrire l'introduction de son chef-d'œuvre *La Chambre rouge* (*Röda Rummet*, 1879), **August Strindberg** s'inspira de la **vue** fascinante que l'on découvre de cet endroit.

Katarina kyrka

(Église Sainte-Catherine)
E6 Aisément repérable, cette église en forme de croix grecque élève vers le ciel son fameux dôme de style baroque, qui s'écroula lorsque l'édifice fut ravagé par un incendie en 1990. L'église originale

avait été dessinée par Jean de la Vallée et construite entre 1656 et 1690.

Mäster Mikaels gata★

E6 De pittoresques maisons de bois peintes en rose, gris et rouge bordent la section. Cette rue faisait partie de Fjällgatan jusqu'à ce que Renstiernas gata soit creusée au début du siècle.

Fjällgatan

E6 Située sur la crête de Stigberget, cette rue est bordée de vieilles maisons en bois et d'édifices en pierre, de couleurs et de formes différentes, érigés au 18e s. La **vue★** magnifique que l'on découvre est célèbre. De gauche à droite, on peut admirer Skeppsbron et les tours de l'église allemande, de la cathédrale et de l'église Ste-Claire, la flotte de bateaux à vapeur blancs de la compagnie Waxholmsbolaget amarrés devant le Grand Hôtel, *af Chapman* amarré à Skeppsholmen et la forteresse circulaire de Kastellholmen à sa droite ; de l'autre côté du chenal, le parc d'attractions de Gröna Lund, les lumières de la tour Kaknäs et le vaste quartier de Djurgården.
Bordé de jardins minuscules, un escalier grimpant jusqu'à Stigbergsgatan tient son nom, **Sista Styverns trappor** (marches du dernier sou), d'une taverne qui était située non loin de là.

Stigbergsgatan

E6 À l'extrémité ouest de cette rue, on peut voir quelques maisons basses en bois, peintes en rouge, caractéristiques de Södermalm. Le n° 21 qui porte le nom de **Blockmakarens hus** ,« maison du fabricant de palans », est un humble logis datant de 1730 soigneusement restauré.

Åsöberget★★

(Crête d'Åsö)

F7 Une ambiance désuète imprègne les quartiers pittoresques de Lotsgatan et Skeppargränd, pourtant proches de l'animation de Folkungagatan.

Spårvägsmuseet

(Musée du Tramway)

F7 *Tegelviksgatan 22 - ✆ 686 17 60 - 10h-17h (w.-end 11h-16h) - 40 SEK (7-18 ans et étudiants 20 SEK).*
Une autre histoire de la ville à travers un point de vue original, depuis les premières voitures à cheval en 1877. Trois expositions permanentes dont l'une sur l'**art dans le métro**.

Leksaksmuseet

(Musée du Jouet)

F7 *Tegelviksgatan 22 - ✆ 641 61 00 - www.leksaksmuseet.se - ♿ - 10h-17h (w.-end 11h-16h) - 40 SEK (7-18 ans et étudiants 20 SEK, famille 100 SEK).*
Accolé au musée du Tramway, il présente des milliers de jouets et abrite aussi un théâtre pour enfants, le Teater Bambino.

Vita Bergen★

(Colline blanche)

E7 « Vitan » pour les Stockholmois, cette colline située à l'est est surplombée par l'église Sofia *(voir ci-dessous)*. En grande partie classé, ce parc abritait à la fin du

19e s. l'un des quartiers les plus pauvres de Stockholm. August Strinberg y plaça une partie de son roman *La Chambre rouge*. Il reste quelques-unes de ces petites maisons ouvrières de bois rouge, aujourd'hui très recherchées.

Sofia kyrka

(Église Sofia)
E7 Une tour centrale entourée de tours plus petites semble sortir de la masse des gratte-ciel. L'église fut construite en 1906 sur un plan en croix grecque dans le style roman, avec des arcs en plein cintre et un large dôme central.

SoFo

E7 Au-delà de Renstiernas Gata, on pénètre dans le quartier branché de Stockholm, qui s'étend jusqu'à Götgatan, autour de Nytorget, petite place ombragée entourée de restaurants sympathiques *(voir ci-après)*. Les Stockholmois l'ont récemment affublé du surnom de SoFo (Söder om Folkungagatan, « au sud de la rue Folkung ») pour bien marquer son côté « Soho » ou « Marais ».
Bondegatan (E7), **Nytorgsgatan** (E6) et les rues adjacentes sont bordées de boutiques design et de créateurs ainsi que de cafés où se retrouve une jeunesse décontractée.

Nytorget

E7 L'esprit de Södermalm s'exprime pleinement sur cette «Nouvelle place». Il faut y venir un jour de soleil. C'est ici que se retrouvent nombre d'artistes, mais aussi les familles faisant la queue pour les balançoires. Sur l'un des bords de la place subsistent de nombreuses petites maisons en bois traditionnelles, souvenir lointain de cet habitat qui faisait de Söder le quartier pauvre de la capitale. Tout cela semble très loin.

Hammarby Sjöstad

(La cité lacustre d'Hammarby)
Hors plan *Bus 71 depuis Kungsträdgården, bus 74 depuis Mariatorget. Ligne de tramway Tvärbanan en direction de Sickla Udde, dont les trois dernières stations se trouvent à Hammarby Sjöstad (www.hammarbysjostad.se).*
Ce nouveau quartier du sud-est de Stockholm, qui borde l'île de Södermalm, a été élaboré à partir des années 1990 et sera terminé en 2017. Il accueillera alors 35 000 habitants et employés. Déjà largement occupé, ce quartier avant-gardiste sur le plan environnemental a été conçu sur le site d'une ancienne zone industrielle, selon un cahier des charges strict concernant le chauffage, les déchets ou le traitement des eaux. La circulation automobile y est très limitée. On peut passer d'une rive à l'autre en bateau et les quais offrent d'agréables promenades. Plusieurs cafés au bord de l'eau comme Bakarna ou Spoon Nautica ainsi qu'une quinzaine de restaurants.

Cité lacustre d'Hammarby.

Södermalm : à l'ouest de Götgatan★

La partie occidentale de « Söder » s'articule autour de Hornsgatan, qui traverse l'île. N'hésitez pas à vous perdre dans les petites rues qui regorgent de boutiques. C'est là que se déroule une partie de l'action de la trilogie « Millenium » qui a tenu en haleine tant de lecteurs.

➔**Accès :** métro Slussen ou Medborgarplatsen. **Plan détachable AD 6-8.**
➔**Conseil :** Monteliusvägen, un petit sentier à flanc de falaise, offre un beau panorama et permet de jeter un œil sur quelques vieilles maisons idylliques qui ont même leur propre jardin donnant sur l'hôtel de ville. Rare.

Söder Mälarstrand

BD6 Cette longue avenue qui longe le lac Mälaren offre une vue saisissante de la ville. La promenade est moins verte que celle de Norr Mälarstrand, l'avenue située sur l'île d'en face. Mais en revanche, elle est bordée de nombreux bateaux dont certains sont des hôtels ou des restaurants. Côté terre, le regard se heurte aux falaises qui ont longtemps isolé l'île de Södermalm du reste de la cité, jusqu'à ce qu'à coups de dynamite, on ne perce des accès.

Skinnarviksberget★★

(Hauteurs de Skinnarvik)

C6 Ⓜ *Mariatorget, sortie Torkel Knutssonsgatan. Aller vers la droite, traverser Hornsgatan et grimper Ludvigsbergsgatan (sur la gauche). Tourner à gauche dans Gamla Lundagatan (en passant entre les maisons) et continuer l'ascension de la colline.*
L'accès aux hauteurs de Skinnarvik s'effectue à travers un quartier habité au 18e s. par les tanneurs dont subsistent les maisons basses. Après Gamla Lundagatan, un simple chemin conduit au point le plus élevé de Stockholm, à 53 m d'altitude, d'où l'on découvre un splendide **panorama**★ de la ville. On aperçoit Norr Mälarstrand, l'hôtel de ville, l'église Ste-Claire, les cinq gratte-ciel d'Hötorget, Riddarholmen et la vieille ville.
Le grand édifice rouge (1850) situé au pied de la colline est celui de la brasserie de Munich (Münchenbryggeriet). Du côté ouest de la falaise, des marches descendent Yttersta Tvärgränd, une ruelle abrupte bordée de beaux édifices de pierre des 18e et 19e s.

Hornsgatan

CD6 Au départ du métro de Slussen, cette très longue rue (2,3 km), qui traverse Södermalm vers l'ouest jusqu'au pont de Liljeholmen et au quartier d'Hornstull, est l'une des principales artères commerciales de la ville.
Les rues pavées d'**Hornsgatspuckeln**

(à proximité de l'église Marie-Madeleine) abritent de nombreuses galeries de peinture de petite taille, mais de bonne renommée.
Hornsgatan passe devant la **maison Stora Dauerska** (n° 29A) où naquit en 1740 le célèbre poète Carl Bellman.

Mariatorget

D6 Ⓜ *Mariatorget.*
La place de Marie est, comme souvent pour les places de Södermalm, également un **parc**. En son centre, une statue de l'époque nationale romantique figure le dieu Thor terrassant le serpent marin Jörmungand. Nombreux bars aux alentours.

Arc de Bofill

D7 Ⓜ *Medborgarplatsen.*
Un petit lac, le Fatburen, occupait jadis la place. Il fut comblé vers le milieu du 19e s. pour y construire la première gare de Stockholm, la gare Sud. Le site est aujourd'hui occupé par des ensembles résidentiels modernes, en particulier le très intéressant Arc de Bofill, de forme semi-circulaire, conçu par l'architecte catalan **Ricardo Bofill**. L'Arc et ses quatre pavillons rectangulaires, érigés de 1989 à 1992, ont été surnommés le « Versailles du peuple ». Il s'agit ici d'une parfaite expression du courant postmoderniste en architecture, adapté au goût nordique.

Koloniområde★

(Jardins ouvriers)
C7 Ⓜ *Hornstull, Zinkensdamm ou Skanstull.* Une grande partie de la partie sud-ouest de Södermalm est couverte de ces charmants jardins ouvriers, héritage de l'ancienne époque de l'île. Dès le printemps, c'est une véritable floraison de couleurs et d'odeurs. Les heureux locataires de ces jardins – les listes d'attente sont très longues – sont parfois de véritables artistes. Se balader au gré de ces jardins est un enchantement, surtout lorsque l'on réalise que l'on est au cœur d'une capitale…
La plus grosse concentration de jardins est située autour de la **colline de Tantoluden**. Au pied de celle-ci s'étend une vaste pelouse prise d'assaut dès que le soleil se met à chauffer. C'est également l'une des plages les plus populaires de Stockholm.

Långholmen

A6 Ⓜ *Hornstull. Prendre Långholmsgatan vers la droite en sortant du métro, puis à gauche Högalidsgatan et à droite pour rattraper un petit pont.*
Située dans l'ombre du très passager Västerbron, Långholmen, l'ancienne île-prison, est séparée de Södermalm par une étendue d'eau. Elle offre des promenades agréables et la possibilité de se baigner.
Utilisée jusqu'en 1987, l'ancienne prison a été transformée en une auberge de jeunesse peu ordinaire *(p. 18)*.
À ne pas manquer, dans le petit bras de mer qui sépare Långholmen de Södermalm, un discret petit port en contrebas qui est l'un des plus beaux rassemblements de bateaux en bois vernis de Suède.

Kungsholmen

(Île du Roi)

Propriété des moines franciscains il y a un demi-millénaire, l'île du Roi, où fut installé au 17e s. un quartier d'ouvriers et d'artisans, accueille aujourd'hui un mélange florissant de bâtiments résidentiels et administratifs tels la police et les tribunaux. Mais c'est l'hôtel de ville qui présente le plus d'intérêt. Les visiteurs peuvent profiter des magnifiques promenades qu'offre la rive nord du lac Mälaren, Norr Mälarstrand. Les bateaux qui font des excursions autour du lac partent du quai situé à l'est de l'hôtel de ville, Stadshuskajen.

➔**Accès :** à l'ouest de Norrmalm. Emprunter le passage souterrain. Plan de quartier p. 74. **Plan détachable BC4-5.**

➔**Conseil :** empruntez la promenade depuis l'hôtel de ville, le long de Norr Mälarstrand, puis récupérez le pont de Västerbron (trottoir de gauche) en direction de Södermalm et profitez, depuis le pont, de l'une des plus belles vues de Stockholm.

Stadshuset★★

(Hôtel de ville)

C5 Ⓜ *T-Centralen - Hantverkargatan 1 - ☏ 508 290 59/58 - visite guidée juin-août : 10h, 11h, 12h, 14h et 15h ; sept. : 10h, 12h et 14h ; oct.-avr. : 10h et 12h - tour ouverte en mai-sept. : 10h-16h15 - avr.-oct. : 100 SEK ; nov.-mars : 70 SEK (-12 ans gratuit).*

L'hôtel de ville de brique rouge très caractéristique avec ses toits de cuivre verdi est aujourd'hui l'un des points de repère les plus célèbres de la ville. Construit en l'espace de douze années (1911-1923) selon les plans de **Ragnar Östberg**, il constitue un superbe exemple de style romantique national. Les bâtiments sont disposés autour de deux cours ; l'une, ouverte, offre à travers les arcades une vue sur le lac au-delà des jardins en terrasses, et l'autre est intérieure. La sobre **tour** d'angle, carrée et haute de 106 m, est surmontée d'une lanterne ajourée couronnée d'une coupole bulbeuse sur laquelle sont délicatement posées trois couronnes dorées, symbole de la Suède. Du belvédère de la tour *(365 marches)*, la **vue★★★** panoramique est spectaculaire. La brique nue fait parfaitement ressortir une profusion de motifs décoratifs : figures et groupes sculptés, fer forgé, flèches élancées et fleurons de pinacles.

Intérieur – La visite guidée commence dans la cour intérieure, connue sous le nom de **hall Bleu★★★** (Blå Hallen), avec son escalier majestueux et ses arcades au rez-de-chaussée. L'architecte avait, à l'origine, l'intention de peindre le hall en bleu, mais lorsqu'il vit les magnifiques tons rouges des briques façonnées à la main, il changea d'avis. Le hall Bleu est le cadre somptueux des banquets annuels du prix Nobel.

Les membres du conseil municipal se réunissent dans la **salle du Conseil** (Rådssalen), dont le plafond en bois

Soleil couchant sur l'hôtel de ville.

de pin s'inspire des toits de maisons vikings. Les mariages civils ont lieu dans la **salle ovale** (Ovalen), ornée de belles tapisseries de Beauvais.
La **galerie du Prince** (Prinsens galleri), plus sobre, doit son nom au prince Eugène, dont la grande fresque illustre la vue extraordinaire que l'on a depuis les fenêtres.
Mais la salle la plus somptueuse est sans aucun doute la **Salle dorée★★★** (Gyllene Salen), tapissée de 18,6 millions de paillettes dorées et de petits morceaux de verre peint. Le jeune artiste **Einar Forseth** fut inspiré par les mosaïques dorées de Ravenne et il persuada l'architecte de l'engager pour réaliser la décoration de cette salle. Le résultat est étonnant. Autour des fenêtres en saillie situées sur la gauche sont illustrés des événements de l'histoire du pays, tandis qu'autour de celles de droite sont représentées des personnalités suédoises. La gigantesque reine du lac Mälaren (Mälardrottningen), qui tient dans son giron les édifices les plus importants de Stockholm, occupe la place d'honneur sur le mur nord.
Les visiteurs de marque entrent dans l'hôtel de ville par la **voûte des Cent**. Haute de 31 m et divisée en cent petits compartiments, cette salle est située dans la tour.
Le **monument Engelbrekt** (1932), à la gloire du héros national suédois et placé au sommet d'une colonne dans le coin sud-est du jardin *(visible du pont de l'hôtel de ville)*, est l'œuvre de Christian Eriksson.
En été, sur le coup de midi et de 18h, un automate représentant *Saint Georges terrassant le dragon* apparaît sur un petit balcon *(également visible du pont)*, tandis qu'un carillon joue un air médiéval. Au-dessus, un groupe sculpté figurant le même sujet est dû aussi à **Christian Eriksson**.

Norr Mälarstrand

BC5 En partant de l'hôtel de ville en direction de l'ouest, cette avenue qui longe l'eau permet d'avoir l'un des plus beaux points de vue de la ville. Après transformation de Kungsholmen, alors quartier industriel, en zone résidentielle, les immeubles furent imprégnés du style d'abord classique des années 1920, puis plus fonctionnel à partir des années 1930. Une langue de verdure, comme un parc étroit et allongé, relie sur plus d'un kilomètre l'hôtel de ville au **parc de Rålambshov**. Cette promenade est un exemple typique de l'école paysagiste de Stockholm qui lie le bord de l'eau aux espaces verts.

Rålambshovsparken

A4-5 Surnommé « Rålis » par les locaux, ce parc au bord de l'eau est pris d'assaut dès les premiers beaux jours. Il n'est pas rare d'y voir de grands attroupements de Suédois membres du club de remise en forme Friskis&Svettis se livrant en cadence à des exercices. Les Stockholmois y jouent aussi à *kubb*, un jeu en équipes auquel on prête une origine viking et qui consiste à jeter des morceaux de bois avec précision. Avis aux amateurs, il y a même là un bar avec des terrains de pétanque.

Norrmalm

Située au nord de la vieille ville et appartenant au centre moderne, Norrmalm était autrefois une île dont le point le plus élevé fut pendant longtemps une sorte de crête rocailleuse, Brunkeberg, s'étirant du nord au sud à l'est de Drottninggatan, site de la célèbre bataille de 1471. La crête fut peu à peu aplanie, et, au 17e s., un réseau de rues perpendiculaires fut tracé, tandis que palais et résidences bourgeoises remplaçaient les modestes maisons. Tandis que le reste de Stockholm est fier de sa beauté exceptionnelle, le centre de la cité a été l'objet de vives critiques après que, dans les années 1950 et 1960, les urbanistes de la ville, saisis d'un engouement soudain pour la modernité, ont fait raser les bâtiments anciens afin d'édifier un nouveau quartier d'affaires autour de Sergels Torg.

➔**Accès :** Ⓜ T-Centralen. Plan de quartier p. 74. **Plan détachable CD3-4.**
➔**Conseil :** la partie nord du quartier est plus paisible. Dans la partie sud, la plus proche de la Vieille Ville, se concentrent les ministères souvent anonymes.

Kulturhuset

(Maison de la Culture)

D4 Ⓜ *T-Centralen - côté sud de Sergels Torg - ✆ 508 31 508 - www.kulturhuset.stockholm.se - 9h-19h, w.-end. : 11h-17h - gratuit.*
La Maison de la Culture, en béton et verre, dessinée par un des principaux modernistes, **Peter Celsing** (1920-1974), accueille diverses activités culturelles et des expositions. Les salles de lecture offrent la possibilité de consulter la presse internationale. Agréable Café Panorama au sommet *(p. 27)*.

Hötorget

D3 Un marché aux fruits, aux légumes et aux fleurs, très animé, est complété par des halles souterraines, **Hötorgshallen**, où l'on trouve une grande variété de produits alimentaires suédois et internationaux. On peut y déjeuner sur le pouce *(p. 22)*.

Konserthuset

(Maison des concerts)

D3 *Côté est d'Hötorget.*
Masquée par des gratte-ciel dits « Les cinq sonneries de trompette », la Maison des concerts, bleue et dotée d'imposantes colonnes de granit couronnées de chapiteaux corinthiens, domine la place. Œuvre de l'architecte **Ivar Tengbom**, elle dénote une forte influence du classicisme. Devant, on peut admirer le chef-d'œuvre de **Carl Milles**, *Orphée*, empreint d'influence grecque. Les escaliers sont pris d'assaut par beau temps.

Drottninggatan

C2-4 Cette artère de l'ancien réseau quadrillant le quartier était au 19e s. la rue principale de Stockholm. Aujourd'hui, son extrémité sud passe devant **Rosenbad**, le siège du gouvernement, et se prolonge par le pont Riksbron vers la vieille ville. En grande partie piétonne, Drottninggatan est bordée de magasins et d'étals.

Strindbergsmuseet★

(Musée Strindberg)

C3 Ⓜ *Rådmansgatan - Drottninggatan 85 - ✆ 411 53 54 - www.strindbergsmuseet.se - tlj sf lun. 12h-16h (juil.-août : 10h-16h) - 60 SEK (-19 ans gratuit).*

C'est dans ce petit logement situé au quatrième étage d'une résidence surnommée « Blå tornet » (la « tour Bleue »), qu'**August Strindberg** (1849-1912) passa les dernières années de sa vie. L'appartement, comme la bibliothèque du sixième étage, est aménagé à l'image d'un décor de théâtre et le contenu a été conservé tel qu'il était au moment de la mort de l'écrivain. Il aurait écrit plus de 20 livres et lancé la « cabale Strindberg » durant les quatre années qu'il passa ici.

S:ta Clara kyrka

(Église Sainte-Claire)

CD4 Ⓜ *T-Centralen - Klarabergsgatan 37 - ✆ 411 73 24 - www.klarakyrka.se - dim.-vend. : 10h-17h, sam. : 17h-19h30.*

Elle occupe le site de l'ancien couvent franciscain Ste-Claire, qui fut propriétaire des terrains de Norrmalm jusqu'en 1527, date à laquelle le roi Gustave Vasa fit démolir le couvent et confisqua tous ses biens. L'église actuelle fut construite entre 1577 et 1590 par les maîtres d'œuvre **Henrik Van Huwen** et **Willem Boy**. Endommagée par un incendie en 1751, elle fut restaurée sous la direction de **Carl Hårleman** et agrémentée d'une tour basse recouverte d'un toit. La tour majestueuse que nous admirons aujourd'hui, avec sa **flèche** de 108 m de haut, fut érigée vers 1880 d'après les plans d'Helgo Zetterwall. L'église possède le plus important **carillon** (35 cloches de bronze, de tailles différentes) de Stockholm *(sonneries à 9h, 12h, 15h, 18h et 21h).*

AUGUST STRINDBERG (1849-1912)

Strindberg alla chercher à l'étranger (Paris, Berlin et ailleurs…) la renommée que les citoyens de Stockholm lui refusaient ; il tourna par deux fois le dos à sa ville natale et s'exila volontairement. Dans Le Vieux Stockholm, *le jeune Strindberg proclame son amour pour la ville puis, à son second retour d'exil, pour l'archipel de Stockholm dans* Au bord du grand large *et* Les Gens de Hemsö.

Surnommé le Zola suédois par Carl Larsson, il fut pourtant ignoré de l'Académie suédoise durant toute sa vie. Mais pour son 63e anniversaire en 1912, année de sa mort, un vote populaire lui attribua le « prix anti-Nobel de littérature ».

Sergels Torg.

À l'extrémité nord du paisible **cimetière★** qui entoure l'église, la statue du poète **Nils Ferlin** (1898-1961) rappelle le souvenir des écrivains qui vécurent dans ce quartier bohème, où se côtoyaient cafés et agences de presse jusqu'à sa démolition dans les années 1950 et 1960.

Dansmuseet

(Musée de la Danse)

D4 *Au moment de la rédaction de ce guide le musée est en cours de déménagement à Drottninggatan 17 - ✆ 44 17 650 - www.dansmuseet.se.*

Initialement fondé à Paris en 1933 par le collectionneur suédois **Rolf de Maré**, le musée de la Danse fut relogé à l'Opéra de Stockholm vingt ans plus tard lorsqu'une partie de la collection parisienne fut transférée en Suède.

Le musée, qui joue également le rôle d'institut de recherche, illustre l'histoire de la danse (dans son sens le plus large) dans le monde entier, grâce à des films, des vidéos, des costumes, des masques, des affiches, des œuvres d'art, des livres et des documents. Les archives de danse folklorique sont une source de renseignements reconnue à l'échelle internationale. Boutique et café offrant une belle vue sur le quartier environnant.

Gustav Adolfs torg

(Place Gustave Adolphe)

D4 Située face au Palais royal, cette place, où se dresse la statue équestre (1790) du roi Gustave II Adolphe, est bordée à l'ouest par le palais du Prince héritier, **Arvfurstens palats**, occupé aujourd'hui par le ministère des Affaires

LES PRÉMISSES D'UN CHEF-D'ŒUVRE DE L'ART LYRIQUE…

Fils d'Adolphe Frédéric et de Louise Ulrique de Prusse, sœur de Frédéric le Grand, le roi de Suède **Gustave III** *(1742-1792) avait été élevé à la française et s'était rallié très tôt au parti francophile des Chapeaux, tout en ménageant un certain équilibre avec le parti opposé des Bonnets. En bon despote éclairé, il imposa la constitution de 1772, puis accomplit jusqu'en 1783 plusieurs réformes importantes, dont la suppression de la vénalité des charges. Fort mécontente d'avoir perdu, entre autres, le privilège de décider de la paix et de la guerre, la noblesse suédoise fomenta une conspiration. Dans la nuit du 15 au 16 mars 1792, au cours d'un bal masqué à l'Opéra royal, un fanatique du nom d'Anckarström, ancien capitaine de la garde, tira à bout portant un coup de pistolet sur le roi. Gustave III mourut deux semaines plus tard.*
En 1833, sur une musique d'Auber et un livret de Scribe, fut donné à Paris l'opéra Gustave III *ou* Le Bal masqué. *En 1859, Verdi, dans son opéra* Un ballo in maschera, *traitera du même sujet, mais comme la censure napolitaine était opposée à la représentation d'un régicide sur scène, il situera l'action vers 1700 au Massachusetts et Gustave III deviendra Riccardo, comte de Warwick, gouverneur de Boston.*

étrangères. Quand il fut construit à la fin du 18e s., cet élégant bâtiment de style classique français formait un ensemble imposant avec l'ancien Opéra à l'est et le Palais royal au sud. L'édifice qui se tient de nos jours sur le côté est de la place, connu sous le nom d'**Operan**, remplace le magnifique chef-d'œuvre rococo d'Adelcrantz depuis sa destruction due à un excès de zèle architectural en 1891. Le premier Opéra royal fut fondé par le roi Gustave III, amoureux d'opéra. Celui-ci y fut d'ailleurs assassiné en 1792 au cours d'un bal masqué. Cet incident inspira à Verdi son opéra *Le Bal masqué* *(encadré ci-dessous)*.

Kungsträdgården

(Jardin du Roi)

D4 Au début du 17e s., le jardin du Roi était un potager qui fut transformé au 18e s. en imposants jardins de style baroque, entourés de murs et réservés à la maison royale. Après la mort du roi Gustave III les jardins furent ouverts au public et ensuite agrandis vers le sud en 1825 lorsque le palais « Sans Pareil » (Makalös) fut détruit par un incendie. Aujourd'hui, les jardins du Roi sont devenus un lieu de rencontre où se déroulent aussi bien parties d'échecs que parties de boules au milieu des promeneurs. Patinoire en hiver.
La célèbre statue du roi Charles XII se dresse au centre de la partie sud des jardins. Son doigt pointe vers l'est, en direction de la Russie qui était l'ennemi traditionnel de la Suède. Le 30 novembre, date anniversaire de sa mort, les néonazis suédois tentent d'y organiser une manifestation.
À l'extrémité sud-ouest, on peut voir **Sankt Jakobs kyrka**, église dessinée par Willem Boy et achevée en 1643.
La partie méridionale des jardins est orientée vers la façade est de l'**Opéra** (Operan) et de son élégant restaurant. Son night-club, Café Opéra, est réputé pour sa clientèle de célébrités – et sa longue file d'attente *(p. 31)*.

Hallwylska museet★

(Musée Hallwyl)

D4 *Hamngatan 4 - Ⓜ Kungsträdgården - 402 30 99 - www.hallwylskamuseet.se - juil.-août : 10h-16h ; sept.-juin : mar. et jeu.-dim. 10h-16h, merc. 12h-19h - 70 SEK - visite guidée dim. à 12h30 (100 SEK).*
Située en plein centre de la ville et encadrée par un restaurant et un café, cette résidence imposante du début du siècle dernier fut la demeure de la comtesse Wilhelmina von Hallwyl.
Les pièces et le mobilier évoquent différents styles tandis que la décoration, les panneaux muraux et les sols témoignent du travail raffiné de l'époque. La collection, d'une valeur inestimable, se compose de peintures, de tapisseries, d'armes, de vaisselle, d'argenterie et de verrerie.
La résidence fut léguée à la nation après la mort de la comtesse et ouverte au public en 1938. Les **concerts**, donnés dans la cour centrale durant les soirées d'été, sont fort appréciés.

Blasieholmen

E4 Des demeures luxueuses furent érigées au 17e s. sur cette péninsule, avec vue sur le Palais royal. Le bord de l'eau

ARLANDA
E 4 Hagaparken, UPPSALA
B
E 18 NORRTÄLJE
VANADISLUNDEN
Vanadisvägen
Norrtullsgatan
Sveavägen
Odengatan
Vanadis-plan
Eriks-gatan
Dalagatan
VASASTADEN
Odenplan
T
Torsgatan
Sankt
Karlbergsvägen
JUDISKA MUSEET
Odenplan
OBSERVATORIE LUNDEN
gatan
Rådmansgatan
1
Odengatan
VASAPARKEN
Kungstens-
U
U
10
gatan
S:t Eriksplan
MUSÉE STRINDBERG
Tegnerlunden
UPPSALA
Dalagatan
Tegnér-
Klarastrandsleden
Torsgatan
DANSENS HUS
10
Barnhus-
Barnhusbron
Klarastrands-
Norra Bantorget
Olof Palmes gata
Kungsgatan
78
Bryggargat
viken
Fleming-
gatan
Scheelegatan
Kungsbron
Vasa-
2
Kungsholms-
gatan
POL.
J
Rådhuset
Klara
Bergs-
Rådhuset
27
leden
gatan
Sjö
Kungsholms-torg
L
Hantverkargatan
L'ÎLE DU ROI
Norr
Mälarstrand
Drottningholms Slott
HÔTEL DE VILLE
B
INDEX DES RUES
Biblioteksgatan.................2
Drottninggatan............10
Gustav Adolfs torg.......16

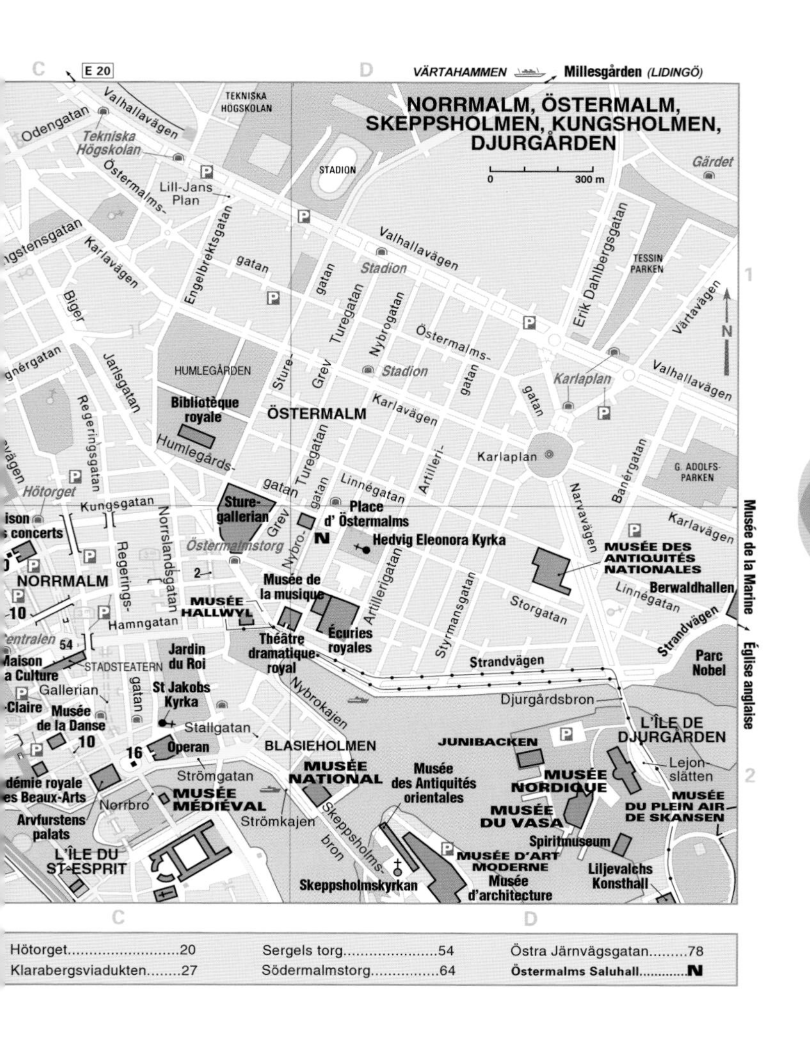

Hötorget..........................20	Sergels torg.....................54	Östra Järnvägsgatan.........78
Klarabergsviadukten........27	Södermalmstorg...............64	**Östermalms Saluhall............N**

est aujourd'hui occupé par le Musée national et l'élégant Grand Hôtel.

Strömkajen est, depuis le milieu du 19e s., le débarcadère des bateaux en provenance de l'archipel. Skeppsholmen, située au sud, est accessible par un pont étroit.

Nationalmuseum★★

(Musée national des Beaux-Arts)

E4 Ⓜ *Kungsträdgården ou T-Centralen - Konstakademien (Académie royale des Beaux-Arts) - Fredsgatan 12 - ✆ 519 543 00 - www.nationalmuseum.se et www.konstakademien.se - ♿ - 10h-18h, mar. et jeu. 10h-20h - 100 SEK (-21 ans gratuit).*

Le Musée national, le plus éminent musée des Beaux-Arts de Suède, occupe depuis 1866 un vaste édifice de style Renaissance italienne sur Södra Blasieholmshamnen. Jusqu'en 2017 l'édifice est fermé pour de gros travaux de restauration et une partie des oeuvres est exposée dans l'Académie royale des Beaux-Arts (3/4 des expositions temporaires par an). Le texte qui suit décrit la situation du musée avant les travaux.

La gamme d'œuvres de grande valeur qu'il abrite va du début de la Renaissance au début du 20e s. On y voit la plus importante collection de peintures suédoises et d'œuvres représentatives des autres pays nordiques, ainsi qu'un choix intéressant d'œuvres du domaine des arts décoratifs.

L'exposition permanente **« Le 20e s., le Siècle du design »** au premier étage offre un aperçu chronologique très intéressant de l'évolution du design depuis le modernisme des années 1930 jusqu'au design ergonomique et expressif de la fin du siècle. On y voit notamment le fameux fauteuil en béton de Jonas Bohlin ou les téléphones Cobra de Gösta Thames, objets très recherchés aujourd'hui, dont les copies sont populaires en Suède.

Carl Gustav Tessin, collectionneur zélé, fut à l'origine de la belle collection de peinture française du 18e s., aujourd'hui l'orgueil du musée, avec notamment des œuvres de Renoir et Gauguin. La peinture hollandaise du 17e s. est bien représentée, et inclut entre autres l'œuvre monumentale de Rembrandt, *Le Serment des Bataves,* qui était à l'origine destinée à orner l'hôtel de ville d'Amsterdam.

Les immenses peintures murales situées dans le hall d'entrée sont de **Carl Larsson** ; on remarquera particulièrement *L'Entrée de Gustave Vasa dans Stockholm (au 1er étage, face à l'escalier).* Sa dernière peinture murale, *Sacrifice au milieu de l'hiver (2e étage),* refusée par le musée, partit au Japon, mais a été depuis rachetée par la Suède.

Skeppsholmen
(Île des Bateaux)

L'île des Bateaux fut entre 1640 et 1958 la base de cantonnement de la Marine royale suédoise, mais on n'y respire plus aujourd'hui qu'une atmosphère insouciante et paisible.

➔**Accès :** bus 65 au départ de la gare centrale. Ⓜ le plus proche : Kungsträdgården, sortie Kungsträdgården. Également accessible en ferry depuis Slussen, Djurgården ou l'été de Nybroviken. Plan de quartier p. 74. **Plan détachable E5.**
➔**Conseil :** flânez en suivant le pourtour de l'île et allez vous rassasier au restaurant du Musée moderne d'où la vue panoramique sur Strandvägen et l'eau est un régal.

Skeppsholsbron

(Pont de Skeppsholmen)
En traversant à pied le pont de Skeppsholmen, orné de deux couronnes royales de chaque côté, on peut admirer à gauche la vue sur Strandvägen, au bord de l'eau, et à droite l'imposante façade orientale du Palais royal, avec en toile de fond la haute silhouette de la cathédrale de Stockholm et Gamla Stan. C'est l'un des plus beaux **points de vue★★★** de la capitale qui permet d'embrasser une bonne part du centre-ville.
À quai sur la droite, derrière la forme rouge du bâtiment de l'Amirauté qui date de 1650, on peut apercevoir le **Af Chapman**. Cette goélette, a été réaménagée et est devenu une auberge de jeunesse et un café très populaires grâce à sa vue imprenable *p. 27).*

Skeppsholmskyrkan

Au moment où la route monte lentement s'élève sur la gauche l'**église de Skeppsholm**, édifice octogonal surmonté d'un dôme. Terminée en 1842 et en partie inspirée du Panthéon à Rome, elle est désacralisée depuis 2002.

Östasiatiska museet★

(Musée des Antiquités orientales)
Tyghusplan, à gauche après le pont, en haut des escaliers - ✆ 010 456 12 00 - www.ostasiatiska.se - tlj sf lun. 11h-17h (20h mar.) - 100 SEK (-19 ans gratuit).
Le musée des Antiquités orientales, logé dans un bâtiment long et étroit, était à l'origine un entrepôt réservé à l'artillerie.
Il contient des collections d'art et d'antiquités de Chine, du Japon, de Corée et d'Inde, de l'âge de la pierre à la fin du 19e s., dont l'une des plus importantes collections d'art chinois visibles hors d'Asie. Porcelaines, jades, bronzes, mais aussi une vaste bibliothèque qui retrace l'histoire du livre chinois.

Moderna museet/ Arkitekturmuseum

Descriptif de chacun des musées ci-après.

Le remarquable assortiment multicolore de sculptures disséminées sur la pelouse annonce la présence de deux musées contigus. Le *Déjeuner sur l'herbe* par Picasso (1962) et *Le Paradis* (1966) par Jean Tinguely et Niki de Saint-Phalle côtoient le *Labyrinthe byzantin* de Per Kirkeby (1998).
C'est à l'architecte espagnol **José Rafael Moneo** que l'on doit le bâtiment qui passe pour être le projet du siècle à Stockholm. Il n'y a guère que les lanterneaux de ses toits pyramidaux pour briser la douce continuité des formes et des couleurs de l'architecture suédoise traditionnelle, harmonieusement associée à l'environnement bien conservé de Skeppsholmen.
À l'intérieur, bien que de nombreuses salles se trouvent dans les sous-sols, le sens infaillible de Moneo pour les volumes a assuré la création d'une personnalité unique pour ce lieu, qui doit beaucoup à la contribution de la lumière. Le foyer est commun aux deux musées.

Moderna museet★★

(Musée d'Art moderne)

Exercisplan 4 - ✆ 520 235 00 - www.modernamuseet.se - ♿ - 10h-18h, mar. et vend. 10h-20h, fermé lun. - 120 SEK (-18 ans gratuit), billet combiné avec le musée d'Architecture 200/170 SEK - audioguides disponibles en français.
Situé sur la gauche du bâtiment, le Musée d'Art moderne débute avec des salles d'expositions temporaires. Au-delà, on trouve, sur un même niveau, trois sections distinctes séparées par des puits de lumière et divisées en plusieurs salles carrées et rectangulaires. Le musée présente une collection d'art moderne suédois et international d'une grande qualité, exposée chronologiquement et illustrant les principaux mouvements de l'Art du 20e s. et de la période contemporaine. Les escaliers de l'entrée principale mènent directement aux images et aux photographies, ainsi qu'aux salles de lecture, studios, archives et bureaux.
Première période : l'art moderne de 1900 à 1940 – Le fauvisme est représenté par Matisse *(Paysage marocain, Apollon)* et quelques-uns de ses disciples suédois y compris Grünewald *(La Grue)*. À côté, on peut voir des toiles de **Munch** *(Jeune Fille assise sur un lit, Strindberg)*, de peintres expressionnistes tels que **Kandinsky** *(Improvisation II - Marche funèbre)*, **Emil Nolde** et de **Modigliani** *(Femme assise à la robe bleue)*. Parmi les autres artistes représentés ici, citons Sonia Delaunay *(Autoportrait)*, Vlaminck *(Paysage)*, **Picasso** *(Femme* et le célèbre *Joueur de guitare)* ainsi que ses amis cubistes **Braque** *(Nature morte au violon)*, **Juan Gris** *(Paysage près de Céret)* et **Picabia** *(Première Rencontre)*. Les mouvements Dada et surréaliste sont illustrés par des œuvres majeures de **Max Erns**t *(L'Été imaginaire)*, **Joan Miró** *(Les Jouets)* et **Salvador Dali** *(L'Énigme de Guillaume Tell)*. La dernière salle de cette section contient des toiles d'**Erik Olson** *(Silhouette rouge)*, **Fernand Léger** *(Le Campeur)*, **Picasso** *(Le Printemps)* ainsi qu'une énorme sculpture de

Skeppsholmen, le soir.

Duchamp-Villon *(Le Grand Cheval).*
Seconde période : l'art moderne de 1945 à 1970 – La première salle illustre « le mouvement dans l'art », thème central de l'Art du 20e s. Elle abrite des mobiles de Calder, Duchamp, P.O. Ultvedt et Jean Tinguely, qui offrent un contraste intéressant avec des œuvres telles que *Monochrome doré sans titre* d'Yves Klein, *Nature morte dans l'atelier* de Giacometti et *Chapeau au nœud* de Jean Dubuffet. La fin de cette section est consacrée aux débuts du pop art avec Martial Raysse *(La France verte)* et Erró *(Paysage culinaire).*
L'œuvre imposante de Niki de Saint-Phalle, intitulée *King-Kong*, est exposée dans l'espace séparant la deuxième et la troisième section.
Troisième période : l'art contemporain – Cette section continue tout d'abord l'illustration du pop art avec, entre autres, plusieurs œuvres d'**Andy Warhol** datant de la fin des années 1960 *(Chaise électrique, Fleurs).* Les années 1980 sont représentées par Richard Long, Ola Billgren *(Panorama oriental)*, Ulf Rollof *(Matelas de plomb)*, etc. Les années 1990 sont caractérisées par une grande diversité : *Composition aux spermes* de **Kiki Smith** est un tableau comprenant 731 morceaux de cristal ; on peut aussi retenir *Bach 1-4* de Gerhard Richter et plusieurs œuvres vidéo, des photographies, etc.

Arkitekturmuseum

(Musée d'Architecture)
Exercisplan et Slupskjulsplan - ✆ 587 270 00 - www.arkitekturmuseet.se - 10h-18h, mar. 10h-20h, fermé lun. - 120 SEK (-18 ans gratuit), billet combiné avec le musée d'Art moderne 200/170 SEK.
Situé à droite du foyer, il dispose de l'espace nécessaire à la présentation de sa collection permanente, centrée sur les cent dernières années, et fonctionne comme une série d'archives pour les photographies et les modèles.
La bibliothèque, décorée dans la plus pure tradition du design suédois, contient environ 25 000 volumes.
Le musée a son propre bar, le café Blom, évidemment très design.

Kastellholmen

Un petit pont part du sud-est de Skeppsholmen vers cette île plus petite encore (3 ha), très isolée bien qu'au cœur de la capitale, où il n'y a que quelques logements et entrepôts.
La **citadelle**, abandonnée par la Marine en 1990, a été élevée en 1848 à l'emplacement d'une forteresse antérieure, détruite par une explosion. Le drapeau de la marine serait hissé depuis 1665 et la légende dit qu'aussi longtemps qu'il flottera, la Suède sera gouvernée. Un soldat vient tous les matins en vélo le hisser.

Östermalm

C'est sans doute l'un des paradoxes de Stockholm : capitale d'un pays qui passe pour le plus égalitaire qui soit, et qui pourtant présente une carte des populations très polarisée. Östermalm, le quartier de l'est, est ainsi associé au chic très bourgeois et conservateur. Rien de tape-à-l'œil, des immeubles cossus qui abritent de grands appartements. On y trouve les adresses les plus prestigieuses et les plus chères de la capitale, ainsi que les boutiques qui vont avec.

➔**Accès :** Ⓜ Östermalmstorg et Karlaplan (ligne rouge) sont les plus centrales, mais l'on peut rapidement rejoindre le quartier depuis T-Centralen. Les bus 47 ou 69 partent de Nybroplan vers le pont de Djurgården. Plan de quartier p. 74.
Plan détachable DH2-4.

Kungliga Dramastiska Teatern

(Théâtre dramatique royal)

DE4 *Nybroplan - Ⓜ Östermalmstorg - ✆ 665 61 00 - www.dramaten.se.*

Appelé **Dramaten** au quotidien, fut fondé par le roi Gustave III en 1788. Le bâtiment actuel, avec sa façade de marbre blanc et de feuilles d'or, fut érigé de 1901 à 1908 dans le style Art nouveau. **Ingmar Bergman** en fut le directeur de 1963 à 1966.

Kungliga Hovstallet

(Écuries royales)

E4 *Väpnargatan 1 - ✆ 402 61 06 - www.kungahuset.se/kungligaslotten/hovstallet - visites guidées (1h, anglais) horaires sur le site (section Royal Mews) - 100 SEK (7-17 ans 50 SEK).*

Les chevaux, carrosses et voitures de la famille royale y sont présentés.

Musik- & Teatermuseet

(Musée de la Musique)

E4 *Sibyllegatan 2 - ✆ 519 554 90 - www.musikmuseet.se -tlj sf lun. 12h-17h - (juil.-août 10h-17h) - 70 SEK (-19 ans gratuit).* Le musée de la Musique occupe un bâtiment austère du 17e s. longeant Sibyllegatan, qui fut pendant trois siècles la « boulangerie royale » et en a conservé le nom. L'architecte chargé de transformer le bâtiment, **Kjell Abramson**, reconstruisit partiellement l'intérieur mais ne toucha pas à l'aspect extérieur.

Le musée contient des instruments datant du 13e s. à nos jours, y compris une importante collection d'instruments de musique folklorique suédois.

C'est aussi un musée interactif qui possède une **salle sonore**, où certains instruments sont à la disposition des visiteurs qui désirent les essayer, et propose un atelier sonore, des jeux musicaux pour les enfants et des activités variées.

Sturegallerian

D3 *Stureplan* - Ⓜ *Östermalmstorg.*
En 1989, le vaste établissement de bains existant depuis 1883 fut transformé en une élégante galerie marchande qui englobe les trois rues adjacentes, avec l'une des meilleures librairies de la ville. L'établissement de bains, reconstruit après l'incendie de 1985, est devenu un club de mise en forme très chic avec piscine et sauna.
À l'entrée de la galerie, le fameux champignon en béton, **Svampen**, est un point de rendez-vous classique du quartier et de la ville. Élevé à 3,3 m de hauteur et dessiné en 1937 par l'architecte **Holger Blom**, rasé en 1988, puis redessiné à l'identique et légèrement déplacé l'année suivante, il est le cœur du quartier de **Stureplan**, la zone *yuppie* de Stockholm, là où se trouve la plus grande concentration de compagnies dans les technologies de l'information. Les vendredi et samedi soirs, il se transforme en théâtre de rue avec le maelström des taxis qui tournent autour des clients fréquentant les boîtes à la mode qui entourent le lieu.

Kungliga Biblioteket

(Bibliothèque royale)
D3 *Humlegården* - Ⓜ *Östermalmstorg - ✆ 010 709 30 00 - www.kb.se - lun.-jeu. 9h-19h, vend. 9h-18h, sam. 11h-15h - fermé en juil.*
Ce bâtiment très académique, étroit et sur deux étages, fut l'une des premières réalisations de **Frans Gustaf Abraham Dahl** entre 1865 et 1878.
La bibliothèque, qui s'étale au milieu du très agréable parc d'**Humlegården**, fut étendue dans les années 1920, puis dans les années 1990, par l'architecte **Jan Henriksson**. La salle de lecture avec ses colonnes de fer et ses larges fenêtres sur le côté nord demeure typique du 19e s. Le reste du bâtiment a été radicalement transformé. Des expositions s'y tiennent régulièrement ainsi que bon nombre d'ateliers liés au monde du livre.

Östermalmstorg

(Place d'Östermalm)
E3 À l'ouest de cette place se dresse un marché couvert, **Östermalms Saluhall**, où l'on peut acheter toutes sortes de produits et déjeuner sur le pouce (*p. 23*). Cher, mais superbe.
Au sud, **Hedvig Eleonora kyrka** fut conçue par Jean de la Vallée au 17e s.

Historiska museet★★

(Musée des Antiquités nationales)
E3 *Narvavägen 13-17* - Ⓜ *Karlaplan ou Östermalmstorg - ✆ 519 556 00 - www.historiska.se - mai-août. : 10h-17h ; sept.-avr. : mar.-dim. 11h-17h (merc. 20h) - 80 SEK (-18 ans et vend. gratuit) - audioguide en français, possibilité de visite guidée en anglais.*
Il contient l'une des plus précieuses collections d'Europe d'objets en or. La **salle de l'Or★★★** (Guldrummet) présente des objets précieux en or et en argent d'un poids total de 250 kg, soit plus de 3 000 objets datant de 2000 av. J.-C. à environ 1520. La collection des objets en or comprend de splendides colliers et des médaillons, magnifiques exemplaires de filigrane.

Sturegallerian.

À l'entrée de cette salle est reproduite au sol la **gravure de Sigurd**, remontant à l'époque viking, qui représente Sigurd, héros de saga islandaise terrassant le dragon.
Des objets de l'âge de la pierre, du bronze et du fer (Forntid, de 14 000 av. J.-C. à 800) ainsi que de l'**époque viking** (Vikingatid, 800-1050) sont exposés au rez-de-chaussée. La **période médiévale** (Medeltid, 1050-début du 16ᵉ s.), au premier étage, présente une riche collection d'objets et de textiles provenant d'églises et monastères.

Strandvägen★★

EF4 L'avenue Strandvägen, qui part de Nybroplan et remonte vers Djurgården, est sans doute la plus somptueuse promenade de Stockholm. Elle est bordée de **vieux gréements**.
Les palais et les hôtels particuliers, de style très éclectique, furent construits à la fin du 19ᵉ s. Ils étaient destinés à de riches industriels, des barons du bois et des magnats de la presse qui avaient bâti leur fortune au cours de l'industrialisation récente de la Suède.
Au-delà du Djurgårdsbron sur la droite, Strandvägen décrit une courbe en passant devant le **parc Nobel** (Nobelparken), qui contient des spécimens de la plupart des arbres à feuilles caduques de Suède.

Berwaldhallen

F4 L'emplacement de cette salle de concerts de la radio publique suédoise, qui porte le nom du premier grand compositeur suédois, **Franz Berwald** (1796-1868), fut creusé dans le flanc granitique de la colline. La superbe acoustique de l'auditorium convient aussi bien à la musique de chambre qu'aux concerts symphoniques.

Diplomatstaden

FG4 Comme le suggère son nom, la « ville des diplomates » est l'élégant quartier où l'on peut trouver la plupart des ambassades et des consulats.

Engelska kyrkan

(Église anglaise)
F4 *Strandvägen 76.* L'Église anglicane est représentée à Stockholm depuis le 17ᵉ s. L'église anglaise de St-Pierre et St-Sigfrid a été construite en 1866 et transportée pierre par pierre sur son emplacement actuel en 1911.

Ladugårdsgärdet

GH3-4 Le vaste secteur au nord de Djurgården, composé de grands espaces verts, porte le nom de « prairie de la grange » (Ladugårdsgärdet), mais on l'appelle tout simplement « la prairie » (Gärdet). La zone avait été utilisée à partir de 1672 comme champ de manœuvre militaire et a été bâtie à compter des années 1930 dans le style fonctionnaliste. De nombreux bâtiments publics y sont implantés, comme l'Institut du Film.

Sjöhistoriska museet

(Musée de la Marine)
G4 *Djurgårdsbrunnsvägen 24 - ☏ 519 549 00 - www.sjohistoriska.se - ♿ - tlj sf lun. 10h-17h - gratuit.*

Dessiné par **Ragnar Östberg** (1866-1945), cet édifice blanc (1938), légèrement incurvé, abrite le musée national de la Marine, qui retrace l'histoire de la construction navale, du rôle défensif de la marine, et de la marine marchande du 17e s. à nos jours. Une splendide collection de modèles réduits de navires des 17e s. et 18e s. est en principe exposée au rez-de-chaussée, où les visiteurs peuvent également voir la poupe et la cabine de la goélette du roi Gustave III, *Amphion*.

Tekniska museet

(Musée technique)

G4 *Museivägen 7 - ✆ 450 56 00 - www.tekniskamuseet.se - ♿ - 10h-17h (merc. 20h), w.-end 11h-17h - 120 SEK (7-19 ans 40 SEK).*

Ce musée national est l'un des plus populaires de Suède. La salle des machines *(rez-de-chaussée)* présente des machines à vapeur, des voitures, des avions à réaction, etc. Dans l'espace **Teknorama** *(50 m au-delà de la salle des machines)*, on peut tester son habileté technique.

Au rez-de-chaussée, des expositions permanentes détaillent l'histoire de l'industrie de l'acier et du fer en Suède. L'histoire de l'énergie électrique est retracée dans l'une des ailes du bâtiment principal *(rez-de-chaussée à gauche)*, tandis que le **Telemuseum** *(sur la droite)* illustre l'histoire des télécommunications depuis les signaux lumineux des phares jusqu'au système digital utilisé de nos jours dans le monde entier. Les étages supérieurs du bâtiment principal proposent des expositions sur la construction mécanique, l'utilisation de la technologie dans les foyers, l'industrie graphique et l'histoire de la chimie.

Etnografiska museet

(Musée ethnographique)

G4 *Djurgårdsbrunnsvägen 34 - ✆ 010 456 12 99 - www.etnografiska.se - ♿ - mar.-dim. 11h-17h (merc. 20h) - 60 SEK (-19 ans gratuit).*

Il présente les modes de vie passés et présents des peuples non européens. Le premier étage est consacré à l'Afrique du Nord, l'Afrique centrale, l'Inde, l'Amérique du Nord et la Mongolie, et le rez-de-chaussée aux expositions temporaires. Dans le jardin, un **salon de thé japonais** est ouvert en été.

Kaknästornet

H3 *✆ 667 21 80 - www.kaknastornet.se - 10h-21h (18h dim.) - 50 SEK (7-15 ans 20 SEK).*

Cette tour de télécommunications haute de 155 m offre un **panorama★★★** exceptionnel de la ville. Café-restaurant (➲ *p. 28*).

Djurgården★★

(Le parc des animaux)

L'île de Djurgården est depuis des siècles un lieu de divertissement populaire et fait aujourd'hui partie du Parc national urbain de Stockholm, Ekoparken. Djurgården signifie littéralement « parc des animaux » ; ce nom remonte au 16ᵉ s., quand la région était une zone de chasse royale. La partie occidentale de l'île, proche de la ville, est occupée par des jardins bien entretenus, des restaurants, des musées, le parc d'attractions de Gröna Lund et Skansen, célèbre musée de plein air. Le reste de l'île est un vaste parc dont profitent pleinement les promeneurs, les amateurs de jogging, les cavaliers, les pique-niqueurs et tous ceux qui aiment les activités de plein air.

➔**Accès :** bus 47 qui continue au-delà de Skansen jusqu'à Waldemarsudde. Une façon agréable d'accéder à l'île est de prendre à Slussen ou à Nybroplan un ferry qui accoste près du parc d'attractions de Gröna Lund. Un service de tramway relie Djurgården à Norrmalmstorg, dans le centre-ville. Ⓜ le plus proche : Karlaplan. Plan de quartier p. 74. **Plan détachable G4.**

➔**Conseil :** les rives sud de l'île sont tournées vers la Baltique et les visiteurs peuvent observer à loisir le va-et-vient des innombrables bateaux. À l'est de Djurgårdsbron, la promenade qui suit la ligne courbe de la baie offre l'occasion d'admirer plusieurs sculptures et un portail bleu, un des nombreux portails qui permettaient autrefois de franchir la barrière entourant Djurgården.

Vasamuseet★★★

(Musée du Vasa)

E4-5 *Galärvarvsvägen 14 - bus 44, 69 ou 76 - ✆ 519 548 00 - www.vasamuseet.se - ♿ - juin-août : 8h30-18h ; sept.-mai : 10h-17h (merc. 20h) - en été possibilité de visite guidée en français (25mn), voir horaire sur le site - fermé 1ᵉʳ janv. et 23-25 déc. - 130 SEK (-18 ans gratuit).*

Par un après-midi d'été, le dimanche 10 août 1628, le plus beau navire de la marine du roi Gustave II Adolphe, sorti des chantiers navals de Skeppsgården, leva l'ancre pour son voyage inaugural. Alors qu'il venait de quitter le quai situé au pied du Palais royal, le *Vasa* s'inclina fortement et coula vingt minutes seulement après avoir levé l'ancre. Pendant plus de trois cents ans, il resta enfoui dans la boue du port de Stockholm jusqu'au 1956 quand **Anders Franzén**, un ingénieur spécialiste de l'histoire navale suédoise, repéra la position du puissant vaisseau de guerre grâce à une sonde toute simple et beaucoup de persévérance. C'est alors que commença l'opération de sauvetage qui fit vibrer l'imagination du monde entier.

La faible salinité de l'eau saumâtre et l'épaisse couche de boue qui recouvre le fond du port de Stockholm expliquent l'excellent état dans lequel se trouvaient

Farniente dans le parc Djurgården.

les boiseries en chêne. Une fois terminée la délicate opération de sauvetage, le long processus de préservation commença.

Le musée – Dès l'entrée, la demi-obscurité semble magnifier la silhouette déjà impressionnante du navire dont la proue pointe avec défi vers vous. L'entrée est située au niveau de la ligne de flottaison ; tout à côté se trouve l'auditorium où l'on peut voir une présentation filmée à intervalles réguliers. En contournant le vaisseau, on passe devant diverses expositions se rapportant à l'histoire de ce splendide navire de guerre.

Le Vasa – Long de 69 m, sa hauteur de la quille à la pointe du mât est de 53 m 8 558 boulons en fer et 20 000 chevilles de bois furent employés à sa construction. Avec 1 275 m² de voilure totale, il pouvait emporter 145 hommes d'équipage, 300 soldats et 64 canons. Mais le navire n'était pas assez lesté pour sa taille, sa partie supérieure était trop imposante. Le roi voulait un second pont de canons, mais les proportions du navire ne furent pas modifiées. Même si le test de stabilité, 30 hommes courant de bord à bord, avait échoué, le navire fut quand même mis à flot, entraînant sa propre perte.

Les 700 **sculptures** et ornements, que l'on peut admirer sous divers angles des différents étages du musée, sont l'œuvre d'artistes suédois, allemands et hollandais, le plus connu étant **Mårten Redtmer**. Ils ne sont pas peints car les spécialistes ne sont pas encore sûrs d'avoir retrouvé les couleurs d'origine. Les sujets – hommes sauvages, soldats et empereurs romains, animaux héraldiques – sont caractéristiques du style architectural exubérant en vogue au 17ᵉ s. (de nombreux portails de Gamla Stan sont décorés des mêmes motifs).
Les deux pièces les plus remarquables sont les armoiries nationales et la figure de proue qui représente un lion tenant une gerbe de blé *(vasen)*, symbole de la dynastie Vasa.

Spritmuseum★★

(Musée de l'Alcool)

F4 *Djurgårdsvägen 38 - Ferry de Slussen, tramway ligne 7 de T-Centralen, bus 44, 69 et 76, arrêt Liljevachs/Gröna Lund - ✆ 121 31 300 - www.spritmuseum.se - juin-août 10h-18h (mar. 20h) ; sept.-mai 10h-17h (mar. 20h) - 100 SEK (-12 ans gratuit).*
Ce nouveau musée invite à une promenade passionnante dans les tréfonds de l'âme suédoise et de sa relation tumultueuse à l'alcool. Situé au bord du lac Mälaren, le bar en terrasse offre une vue magnifique. Restaurant de spécialités suédoises.

Nordiska museet★★

(Musée nordique)

F4 *Djurgårdsvägen 6-16 - bus 44, 69 ou 76 - ✆ 519 546 00 - www.nordiskamuseet.se - ♿ - 10h-17h -(sept.-mai : 20h merc.) - audioguide en français - 100 SEK (-18 ans gratuit).*
Ce magnifique édifice, construit à l'image d'un palais Renaissance et achevé en 1907, abrite le plus grand

musée scandinave d'histoire de la culture. Complément logique du musée de plein air de Skansen (p. 90), le Musée nordique fut également fondé par **Artur Hazelius** qui débuta sa collection en 1872 afin de préserver l'ancien héritage rural qui dépérissait dans un contexte d'émergence de la société industrielle. Les collections concernent tous les pays nordiques et décrivent la vie quotidienne et les conditions de travail de 1520 à nos jours.

La culture **same** se trouve au sous-sol. Dans le grand hall du rez-de-chaussée, on remarque tout d'abord l'énorme statue du roi Gustave Vasa, sculptée dans un bloc de chêne par **Carl Milles** en 1924. Au même niveau sont situés la boutique, le restaurant, l'espace de jeux des enfants ainsi que des salles consacrées aux expositions temporaires évoquant l'histoire et la culture suédoise. Le premier étage est réservé à l'**art folklorique**, aux textiles, aux services de table, aux jouets et à la mode. Cet étage abrite également une exposition permanente intitulée « Strindberg au Musée nordique », qui présente **August Strindberg** aussi bien en tant que peintre (16 de ses tableaux sont exposés) qu'en tant qu'auteur (on peut voir plusieurs manuscrits originaux y compris celui d'une de ses pièces les plus célèbres, *Mademoiselle Julie)*.

Ses contacts avec le Musée nordique remontent au début des années 1880 et à l'intérêt qu'il porta au projet d'Hazelius. Les collections du second étage illustrent les évolutions de l'habitat suédois.

Junibacken★

E4 *Galärvarvsvägen - bus 44 ou 69 - 587 230 00 - www.junibacken.se - de déb. juil. à mi-août : 10h-18h ; reste de l'année : mar.-dim. 10h-17h - 145 SEK (enf. 125 SEK, -2 ans gratuit).*

Situé près du musée Vasa et du Musée nordique, Junibacken est un musée d'un genre tout à fait différent ; à l'intérieur, la fantaisie, le rire, l'exaltation, et la surprise sont rois… en d'autres termes, c'est le paradis des enfants ! L'idée repose sur la littérature enfantine et tout particulièrement sur les livres d'**Astrid Lindgren** (p. 114), objet d'un véritable culte en Suède.

Ce centre culturel interactif a ouvert ses portes en 1996 et il connaît depuis un immense succès auprès des familles et des écoles. Une fois dans le hall d'entrée, les enfants sont conviés à passer à travers un énorme livre ouvert qui les conduit directement dans un monde de fantaisie, d'amusement et de poésie. Le « Train des contes » quitte la gare de Vimmerby (ville natale d'Astrid Lindgren) et emmène ses passagers à travers la campagne suédoise et ses sombres forêts, à la rencontre de quelques-uns des personnages les plus célèbres d'Astrid Lindgren. Après cette promenade les enfants peuvent pratiquer toutes sortes d'activités ludiques dans la maison Villekula de **Fifi Brindacier** (Pippi Långstrump en suédois). Junibacken organise également une exposition annuelle consacrée à un auteur de livres pour enfants. La cafétéria offre une **vue** splendide.

Musée de plein air de Skansen★★★

F5 *Skansen - bus 44 ou 69 - ✆ 442 80 00 - www.skansen.se - de déb. mai à mi-juin 10h-19h, de mi-juin à fin août : 10h-22h ; sept. : 10h-18h ; le reste de l'année : horaires variables (consulter le site web) - tarifs variables selon la saison, 150 SEK l'été (enf. 60 SEK).*

Fondé en 1891 par l'ethnographe **Artur Hazelius** (1833-1901), Skansen est le plus ancien musée de plein air du monde. Les différents éléments sont répartis sur le site en fonction de leur situation géographique exacte : par exemple, le **campement same** du nord de la Suède (Laponie) se trouve... dans la partie nord de Skansen. C'est ici que l'on peut voir la ferme d'été provenant de la vallée de l'Älv. Les sept bâtiments de la **ferme de Delsbo**, au Hälsingland, illustrent le mode de vie au milieu du 19e s. d'un fermier cossu, qui complétait ses revenus par le produit d'une exploitation forestière. La ferme de Mora, en **Dalécarlie**, dont les principaux bâtiments sont assemblés selon les principes de construction des cabanes en rondins, est disposée autour d'une cour carrée. La **ferme d'Älvros,** du Sud-Est de la province d'Härjedal, est une construction typique du Nord de la Suède. Les bâtiments sont recouverts de bois et d'écorce de bouleau. Dominant la place du marché, la maison de Bollnässtugan vient du **Hälsingland**. Les peintures des murs et des plafonds du 18e s. sont représentatives de la tradition décorative intérieure du centre et du Nord de la Suède. Au nord-est, on peut admirer le **campement finlandais** avec ses cabanes couleur noir de suie et, plus loin, la ferme d'un maître de forges regroupée avec des maisons de la région minière de Ljusnarsberg, dans la province du **Västmanland**. Les cinq cheminées en fer sont caractéristiques des régions minières. La ferme illustre les conditions de vie au début du 18e s. Plus au sud, on peut voir la ferme de Kyrkhult, de la province de **Blekinge**, basse cabane en rondins couverte de touffes d'herbe entre deux granges hautes, disposition caractéristique du Sud de la Suède. La ferme d'Oktorp, disposée autour d'une cour fermée, est construite selon les mêmes principes. Bien qu'elle date du début du 18e s., sa décoration est quant à elle de la fin du 19e s. Les bâtiments de la **ferme scanienne** ont des toits de chaume. La plupart des maisons, à colombage, sont meublées dans le goût des années 1720. Le **manoir Skogaholm**, construit au 17e s., mais remanié dans le style Louis XVI ou gustavien lors de sa reconstruction à la fin du 18e s., provient de Närke. D'autres aspects de la vie suédoise sont également illustrés, notamment par la salle de réunion, **Folkets hus**, la salle commune du temple de la mission, et par l'**école de Väla**, construite vers 1840, date à laquelle l'école devint obligatoire. Ont été aussi remontées à Skansen les tours-clochers de Håsjö et de Hällestad et l'**église de Seglora**, dans le Västergötland. Construite vers 1730 en gros rondins, elle présente des

Entrée du musée ABBA.

tickets
GIMME!
GIMME!
GIMME!
PRINT
TICKETS
HERE!

murs et un toit recouverts de bardeaux de chêne peints en rouge. La tour et la sacristie furent ajoutées vers 1780. Le plafond est orné de peintures réalisées en 1735. Le retable rococo est de 1780. La chaire (1700), l'orgue (1777) et les cloches (14e s. et 1759) proviennent d'autres églises.
Skansen n'est pas uniquement consacré à l'histoire rurale. Des **sections urbaines** illustrent l'évolution de l'habitat et du monde du travail, des années 1760 au début du 20e s.

Liljevalchs Konsthall

F5 *Djurgårdsvägen 60 - bus 47 - ✆ 508 31 330 - www.liljevalchs.stockholm.se - mar. 11h-20h, merc. 11h-17h, jeu. 11h-20h, vend.-dim. 11h-17h - 80 SEK (-18 ans gratuit).* Ce musée des Beaux-Arts, qui occupe un élégant édifice de style néoclassique (1916), est consacré principalement à l'**art contemporain**. Plusieurs rendez-vous courus, dont le Salon de Printemps. Juste à côté, il est possible de trouver un café très populaire, **Blå Porten** (le Portail Bleu, *p. 24*), avec une cour intérieure très agréable. Une sculpture de Carl Milles, *L'Archer,* se dresse à l'extérieur sur une colonne de granit.

ABBA The Museum★★

F5 *Djurgårdensvägen 68. Ferry de Slussen, tramway ligne 7 de T-Centralen, bus n° 44, 69 et 76, arrêt Liljevachs/Gröna Lund - ✆ 12 13 28 66 - www.abbathemuseum.com - sam.-mar. 10h-17h, merc.-vend. 12h-20h - 195 SEK (-15 ans 145 SEK, 50 SEK avec un adulte, -6 ans gratuit). Pas de paiement en liquide.*

Dans un pays aussi incroyablement passionné d'Eurovision de la chanson que la Suède, un tel musée, auquel les membres du groupe ont largement participé, était inévitable. Longtemps repoussé, le musée ABBA, très commercial, célèbre le groupe pop emblématique qui a contribué à la gloire de la Suède autant que Volvo, Borg ou Ikea. Nombreuses trouvailles interactives, tels la cabine d'essayage virtuelle qui permet de devenir le 5e membre du groupe, ou le piano relié à un autre piano situé, paraît-il, dans le propre studio d'enregistrement de Benny, l'un des deux musiciens du groupe. Et il peut en jouer sans prévenir !

Djurgårdsstaden

F5 *Bus 47.* À l'est de **Gröna Lund** (*p. 15*), on peut voir Djurgårdsstaden, un ensemble de bâtiments datant du 17e s., dont certains furent autrefois habités par des marins, des charpentiers et des droguistes. Environ 200 personnes vivent encore dans ce quartier bordé d'immeubles construits dans les années 1920-1930.

Rosendals slott★

(Palais de Rosendal)

G4 *Bus 44, 69, arrêt Waldemarsudde, puis 10mn à pied - ✆ 402 61 30 - www.kungahuset.se - visite guidée juin-août tlj sf lun. à 12h, 13h, 14h et 15h - 80 SEK (7-18 ans 40 SEK).* Ce palais d'été, construit entre 1823 et 1827 pour le roi Charles XIV Jean, rassemble plusieurs intérieurs luxueux illustrant l'adaptation par les Suédois du style Empire français.

En face, une boutique propose fruits et légumes bio provenant du potager du château tandis que le **café** sert repas et sandwiches (*p. 27*). Dès que le soleil se montre, c'est l'un des rendez-vous favoris des Stockholmois pour de longues après-midi champêtres.

Prins Eugens Waldemarsudde★★

G6 *Prins Eugens väg 6 - terminus du bus n° 47 - 08 545 837 00 - www.waldemarsudde.se - ♿ - mar.-dim. 11h-17h (jeu. 20h) - 100 SEK (-19 ans gratuit).*

Le **prince Eugène** (1865-1948), 4e fils du roi Oscar II, établit sa résidence à Djurgården en 1905. Le site splendide, en bordure du chenal reliant Stockholm à la mer, et les collections donnent à la visite un attrait particulier.

Les œuvres du prince et de ses amis témoignent du monde artistique des pays nordiques au début du 20e s. On remarquera notamment les portraits de la mère du prince, la *Reine Sophie*, et du *Prince* lui-même, peints par Zorn, un *Autoportrait* par Larsson, le buste en terre cuite du prince Eugène par Eriksson, l'œuvre controversée de Josephson intitulée *L'Elfe des eaux*, ainsi que des créations du prince.

Thielska Galleriet★★

(Galerie Thiel)

Hors plan en dir. H5 *Sjötullsbacken 8 (extrémité est de Djurgården) - 662 58 84 - www.thielska-galleriet.se - tlj sf lun. 12h-17h ; 100 SEK (-18 ans gratuit).*

Le riche banquier **Ernest Thiel** (1859-1947) engagea l'architecte Ferdinand Boberg pour construire cette résidence où il créa avec sa seconde femme « une demeure dont les murs seraient couverts de tableaux ». Exclu par la bonne société de Stockholm, le couple ne fréquentait que des artistes, des écrivains et des compositeurs. Thiel commença par acheter les œuvres à des artistes appartenant à l'Union des artistes indépendants (fondée en 1886).

L'inestimable collection groupe des peintures d'animaux de **Bruno Liljefors**, des nus d'**Anders Zorn**, des œuvres du porte-parole du groupe, **Richard Bergh**, plusieurs toiles bleues d'**Eugen Jansson**, de nombreux tableaux de **Carl Larsson**, des scènes hivernales de **Gustaf Fjæstad** (qui sculpta également l'immense canapé, la table et les chaises que l'on voit au 1er étage), plusieurs œuvres de Strindberg, dont les ciels sont tourmentés, et une toile du prince Eugène. Plus tard, Thiel élargit sa collection aux œuvres étrangères, réunissant notamment un ensemble important d'**Edvard Munch**.

En 1924, il fit faillite et l'État suédois acheta la galerie qu'il ouvrit au public deux ans plus tard. La galerie a été victime d'un cambriolage en 2000 durant lequel six toiles, dont quatre d'Anders Zorn, ont été dérobées.

Skärgården★★★

(Archipel de Stockholm)

Stockholm est fière de son archipel d'une beauté sans pareille, aux paysages naturels d'une infinie diversité, allant de la végétation luxuriante des îles côtières à la nudité des falaises balayées par les vents du large. S'étendant à partir de la ville même sur une distance de quelque 70 km au large des côtes de la Baltique, il s'étire du nord au sud sur environ 140 km. Il compte 24 000 îles et récifs, dont seulement 150 habités toute l'année, mais on y dénombre 50 000 résidences d'été et chalets. C'est le séjour de prédilection des habitants de Stockholm, tant pour le week-end que pour les vacances. De nombreux artistes et écrivains ont été séduits par le charme de l'archipel qui a été immortalisé en littérature par August Strindberg dans « Les Gens de Hemsö » et en peinture par des artistes comme Bruno Liljefors et Anders Zorn.

➔**Accès :** les différentes parties de l'archipel sont desservies par un service de ferries depuis le centre-ville, au départ des deux quais, **Strömkajen** (bus 65) et **Strandvägen** (bus 47 et 69). Nombreuses compagnies.

➔**Conseil :** si vous êtes fan, des forfaits peuvent vous permettre de faire toutes les traversées que vous voulez *(www.waxholmsbolaget.se - Båtluffarkort, 5j, 420 SEK).*

Gustavsberg Hamn★

(Port de Gustavsberg)

À 20mn au départ de Slussen, au centre de Stockholm, par les bus 420, 422, 424-425, 428-430, 474 ou 492 (20mn au départ de Slussen), descendre à Farstaviken. Un service de ferry (1h45) relie Stockholm et Gustavsberg Hamn de fin juin à mi-août - ✆ 570 132 00.

Une **fabrique de porcelaine** fut construite en 1825 près du petit port de Gustavsberg ; en 2004, dix ans après la fermeture de l'usine, les divers bâtiments érigés entre 1825 et 1940 devinrent un Centre national d'art et de design, véritable vitrine de l'héritage industriel et culturel de Gustavsberg et d'une tradition qui se perpétue grâce aux nombreux artistes et artisans qui s'y sont installés. L'édifice le plus ancien, **Gula Byggningen**, abrite aujourd'hui des expositions ainsi qu'un espace de vente d'objets en céramique, porcelaine, verre, bois et métal. L'**office de tourisme** est logé dans le bâtiment en brique flanqué d'une tour ronde qui domine le pittoresque port de plaisance. Le complexe comprend aussi un restaurant, des cafés, des boutiques, des ateliers d'artistes et un hôtel.

Porslinsmuseum

Odelbergs väg 5 - ✆ 570 356 58 - juin-août. : mar.-vend. 10h-17h, sam.-lun. 11h-16h ; sept.-mai. : mar.-vend. 10h-16h, sam.-dim. 11h-16h - 65 SEK.

Une exposition chronologique présente la production de la fabrique depuis

1827 jusqu'à sa fermeture dans les années 1990. L'espace interactif offre aux visiteurs la possibilité de s'essayer à la peinture sur céramique.

Fjäderholmarna

Nombreux ferries au départ de Nybrokajen - www.fjaderholmarna.se.
Ce sont les îles les plus proches de Stockholm, à seulement 20mn de bateau. Nombreux restaurants, bars, artisans. L'association Allmogebåtar entretient de vieux bateaux nordiques et une distillerie de whisky se visite.

Vaxholm

Ferry régulier au départ de Strandvägen (durée : 50mn). Liaison également par bus (ligne 670 depuis la station de métro Tekniska högskolan à Stockholm).
Cette ville (7 000 habitants), aux boutiques attrayantes et bien équipée sur le plan touristique, constitue une première prise de contact agréable avec l'archipel.
Occupant jadis une position stratégique importante à l'entrée est du chenal d'accès à Stockholm, la **forteresse**, en partie du 16e s., située sur un îlot face à la ville, rappelle le rôle militaire de Vaxholm.

Grinda

Ferry au départ de Strandvägen (durée : 1h).
Caractéristique des îles côtières, cette île verdoyante, située non loin de Stockholm, est un lieu de **baignade** très apprécié. La promenade se fait facilement dans la journée.
L'île fut achetée il y a un siècle par le premier directeur de la Fondation Nobel qui se fit construire une maison dans le style Art nouveau, aujourd'hui devenue auberge.

Möja

Ferry au départ de Strandvägen ou de Strömkajen (durée : 2h30 à 3h) - www.mojaturistinfo.se.
C'est l'une des plus grandes îles du centre de l'archipel. Elle compte 250 résidents permanents qui s'adonnent aux activités traditionnelles de l'archipel, la pêche et l'agriculture. Möja ne convient pas à la baignade mais plutôt à la **randonnée**.
À **Berg**, son agglomération la plus importante, on trouvera un café, des boutiques proposant les produits de l'artisanat local et un petit musée.
L'île est également un centre important pour le **kayak**, devenu depuis quelques années très à la mode à Stockholm. Possibilité de loger et de louer des kayaks sur place.

Finnhamn

Ferry au départ de Strandvägen ou de Strömkajen (durée : 2h à 2h45) - www.finnhamn.se.
Formée de **trois îles**, Finnhamn est située à l'endroit où le nord de l'archipel s'ouvre vers les falaises dénudées des îles rocheuses de la périphérie.
Les promeneurs apprécieront les chemins étroits, et les amateurs de soleil les roches lisses et les petites plages de sable.

Sandhamn

Ferry au départ de Strandvägen ou de Strömkajen (durée : 2 à 3h) - www.sandhamn.se.

Sans doute le lieu de villégiature le plus connu de l'archipel. Rendez-vous des marins depuis le 18e s., c'est aujourd'hui un endroit très à la mode, véritable Mecque des amateurs de **voile**.

Le **village**, avec ses ruelles étroites et ses maisons serrées les unes contre les autres, mérite que l'on s'y arrête. Dans la trilogie *Millenium* de Stieg Larsson, le personnage du journaliste Mikael Blomqvist y possède un cabanon.

Utö

Depuis T-Centralen, prendre le train (pendeltåg) jusqu'à Västerhaninge, puis le bus 846 en direction de Årsta slott. Descendre à l'embarcadère de Årsta brygga, d'où le ferry Silverpilen rejoint Utö en 35mn - www.utoturistbyra.se.

Situé à l'extrême sud de l'archipel, Utö compte environ 200 résidents à l'année. Utö revendique l'honneur de posséder la plus ancienne **mine de fer** de Suède, dont on peut encore voir le puits profond. Un petit musée lui est consacré.

Ängsö

Ferry au départ de Strömkajen (durée 2h) - www.blidosundsbolaget.se.

C'est la seule île rocheuse qui ait été déclarée **Parc national**, dès 1909. Comme son nom (île de la Prairie) l'indique, Ängsö, au nord de Stockholm, est un paradis floral en miniature, enrichi par une grande diversité d'oiseaux, qui préserve un paysage agricole typique du 19e s.

Rödlöga et Svartlöga

Ferry au départ de Strömkajen (durée : env. 4h).

Deux îles, situées à bonne distance de Stockholm dans le nord de l'archipel, très appréciées des amateurs de **voile**.

Bullerön

Desservie par un service spécial de circuits. Bus 433 ou 434 depuis Slussen à Stockholm jusqu'à Stavsnäs Vinterhamn. Puis bateau-taxi : Taxi-boat Stavsnäs Båttaxi - ✆ 571 501 00 ; Nämdö Båttaxi - ✆ 571 580 14.

Située à la périphérie de l'archipel, Bullerön jouit d'un environnement unique. L'artiste **Bruno Liljefors** vint en étudier les oiseaux. Il acheta l'île en 1908. Son pavillon de chasse est ouvert au public.

Huvudskär

Bus 839 au départ de la station Haninge C, jusqu'à Dalarö Hotellbrygga, au sud de Stockholm, puis ferry à 10h au départ de Dalarö, l'été tlj sf lun. avec le navire M/S Jungfrun (✆ 500 330 20). Durée 2h.

En raison de sa position éloignée à la périphérie de l'archipel, ce groupe d'îles dénudées, dont les roches lisses affleurent au ras de l'eau, est resté un endroit isolé et bien préservé par son propriétaire, la Fondation de l'Archipel. Auberge de jeunesse dans une ancienne douane.

Finnhamn.

Drottningholm★★

La magnifique résidence royale de Drottningholm avec son palais, son théâtre, ses jardins et son pavillon chinois fait partie du patrimoine mondial de l'Unesco. Le palais est situé dans l'île de Lovön sur le lac Mälaren. La famille royale de Suède occupe l'aile sud depuis 1981.

➔**Accès :** Par bateau (1h) au départ du quai face à Stadshuset *(✆ 587 140 00 - www.stromma.se - 165 SEK AR, 280 SEK visite du château comprise) ou* Ⓜ Brommaplan, puis bus 301-323 jusqu'à Drottningholm.
➔**Conseil :** en s'y rendant par bateau, on bénéficie d'une belle vue de la façade et de l'entrée principale.

Palais royal

✆ 402 62 80 - www.kungahuset.se - mai-août : 10h-16h30 ; sept. : 11h-15h30 ; oct. et avr. : vend.-dim. 11h-15h30 ; nov.-mars : w.-end 12h-15h30 - 100 SEK (7-18 ans et étudiants 50 SEK) ; en été, billet combiné Palais royal et Pavillon chinois 145 SEK (7-18 ans 75 SEK).

L'histoire royale du lieu démarre par l'intérêt que lui porte Gustav Vasa au 16e s. Les travaux qui devaient conduire au château actuel commencent en 1661 après que la reine Hedwige Éléonore ait acheté Drottningholm. En dépit de changements ultérieurs, dans les **appartements★★★**, c'est la décoration baroque qui prédomine partout. L'abondante décoration en stuc du majestueux **escalier** est l'œuvre du maître italien **Giovanni Carove**. D'autres artistes de renom ont contribué à la décoration intérieure.

Les appartements officiels sont ouverts au public. On remarquera en particulier la très belle chambre d'apparat d'Hedwige Éléonore, dessinée par **Tessin l'Ancien** et achevée en 1683. Le noir et l'or furent utilisés jusqu'en 1701, date à laquelle la reine mère mit fin à la période de deuil officiel et fit décorer la pièce en bleu comme elle l'est actuellement.
La superbe **bibliothèque** de la reine Louise Ulrique est intéressante car c'est un bel exemple de style gustavien réalisé par **Jean Eric Rehn**.

Drottningholms Slottsteater★★

(Théâtre du château de Drottningholm)

✆ 556 93 100 - www.dtm.se - visite guidée (en été aussi en français) vend.-dim. mai-août : 11h-16h30 ; sept. : 13h-15h ; avr. et oct. : 12h-15h30 - 90 SEK.
Le théâtre royal est un joyau d'architecture baroque, dessiné par **Carl Fredrik Adelcrantz** pour la reine Louise Ulrique, afin de remplacer le précédent théâtre détruit par un incendie. L'édifice fut construit pour la compagnie d'acteurs français de la cour de Suède. La représentation d'inauguration eut lieu en 1766, mais c'est sous le règne de son fils Gustave III,

grand mécène qui fonda en 1773 l'Académie royale de musique et l'Opéra royal, que ce petit théâtre connut son âge d'or.
La pureté des lignes, l'harmonie des proportions et la délicatesse de son décor bleu et blanc en font un chef-d'œuvre de décoration. On admirera le complexe mécanisme de bois réalisé par Donato Stopani. En 1791, l'architecte et paysagiste **Louis-Jean Desprez** (1743-1804) ajouta la salle de bal. On y donne en été des spectacles d'opéra et de ballet.
Lors de la visite guidée, on peut parcourir les salles de réception, le foyer face au parc anglais et l'auditorium où l'on peut entendre les sons des machines à tonnerre ou à vents. Si une répétition est en cours, on peut alors assister à un morceau d'*Orlando* ou de toute autre pièce à l'affiche.

Jardins★★

En 1681, **Tessin le Jeune** commença à dresser les plans strictement symétriques de jardins baroques cernés par des avenues de tilleuls. Le parterre le plus proche du palais, au dessin complexe, a été remplacé par des pelouses bordées de haies de buis. Œuvre d'**Adrian de Vries**, la *Fontaine d'Hercule,* comme tous les autres bronzes disséminés dans les jardins, fut rapportée comme butin de guerre, soit de Prague en 1648, soit du Danemark en 1659. Au-delà, on peut voir le Jardin des eaux avec ses dix jets d'eau et ses pelouses bordées de buis. Le jardin qui se trouve à l'entrée a été redessiné selon les plans d'origine.
Le parc paysager est agrémenté de deux bassins, de canaux, d'îles et de ponts dans le style anglais ; il fut conçu en 1780 pour contraster avec les jardins dessinés au cordeau. Parmi les nombreux monuments qui auraient dû orner ce parc, seule la Tour gothique fut menée à bien par **Louis-Jean Desprez**.

Pavillon chinois★

(Kina Slott)
✆ 402 62 70 - www.kungahuset.se - mai-août : 11h-16h30 ; sept. : 12h-15h30 - 80 SEK (7-18 ans 40 SEK), billet combiné avec le Palais royal et le Pavillon chinois 145 SEK (7-18 ans 75 SEK).
Avec sa silhouette exotique, le pavillon chinois est un bâtiment combinant style rococo et chinoiseries en vogue en Europe au 18ᵉ s. Le pavillon actuel a remplacé un édifice construit en 1753 pour l'anniversaire de la reine Louise Ulrique. **Carl Fredrik Adelcrantz** réalisa cette fantaisie chinoise de 1763 à 1767.
Jean Eric Rehn se surpassa lorsqu'il dessina les pièces rouge, verte, jaune et bleue, puis les orna de panneaux laqués, d'abondantes décorations et de vitrines, où sont exposés de délicats objets chinois.

Birka★

Birka, située dans l'île de Björkö sur le lac Mälaren, fait partie du patrimoine mondial de l'Unesco. Le campement de Birka fut en effet le plus grand marché viking de 800 à 960 après J.-C. et est considéré comme la première ville de Suède, vers le milieu du 8e s. Le site est connu sous le nom de « lieu de la Terre noire ». 700 à 1 000 personnes vivaient, travaillaient et commerçaient à l'intérieur de l'enceinte semi-circulaire.

➔**Accès :** le site est accessible par ferry *(Strömma Kanalbolaget - ✆ 1200 40 00 - www.stromma.se)* à partir de **Stadshusbron** (le quai de l'hôtel de ville, au cœur de Stockholm) de début mai à début septembre. Comptez 8h A/R.
➔**Conseil :** le billet peut s'acheter directement sur le bateau. Le prix *(310 SEK A/R)* inclut la visite guidée (anglais) et l'entrée du musée.

Le site aujourd'hui

Le sommet de la colline est couronné d'un **monument** (1834) commémorant la mission d'Anschaire. C'est pour se rendre dans ce lieu de négoce que le premier missionnaire chrétien de renom, **Anschaire** (Ansgar), s'embarqua en 829 pour convertir les Svíar (Svear) païens. Il revint en 852, mais fut reçu de façon beaucoup plus hostile, car une grande partie de la population était déjà retournée au paganisme. Après la mort du saint à Brême en 865, il n'y eut plus de tentative d'évangélisation de la Suède avant le 11e s. Mais, à cette époque, Birka était sur le déclin tandis que Sigtuna et Visby étaient devenues les nouveaux centres du commerce de la Baltique.
Du monument, on peut plus facilement apprécier la position stratégique de Birka sur le lac Mälaren.
À proximité se trouve la petite **chapelle d'Anschaire** (consacrée en 1930).

Fouilles

Au-delà des remparts de terre, on a retrouvé plusieurs cimetières, dont les plus grands comprennent environ 1 600 tombes vikings. Des fouilles ont lieu tous les étés, à terre comme en mer, car on a retrouvé ces dernières années des épaves gisant le long des côtes de Birka.

Musée

✆ 5191 80 00 - www.raa.se - de déb. mai à la 1re sem. de sept. : 10h-17h.

Le produit des fouilles se trouve en grande partie au Historiska Museet à Stockholm, mais le musée implanté sur le site reconstitue la vie à Birka telle qu'elle se déroulait il y a 1 000 ans.
Le musée souhaite notamment donner une image plus juste des Vikings, que celle forgée en grande partie au 19e s., à la grande époque nationale romantique.

Hagaparken

(Parc Haga)

Ce parc à l'anglaise, quelque 2 km le long des rives de la petite baie de Brunnsviken, fut tracé pour le roi Gustave III. Il offre un cadre parfait aux pavillons et aux temples qu'il abrite. Cet endroit champêtre fait partie de l'Ekoparken, oasis de verdure à l'état naturel située à la périphérie de la ville, qui s'étend de Djurgården à Ulriksdal.

➔**Accès :** Ⓜ Odenplan, puis bus 515 jusqu'à Haga Norra.
➔**Conseil :** au nord de la ville, c'est l'un des parcs les plus populaires de Stockholm et sans doute l'endroit le plus imprégné de Gustav III. Ne manquez pas le pavillon.

Gustav III:s Paviljong

(Pavillon de Gustave III)
✆ 402 61 30 - www.kungahuset.se - visite guidée (1h, en anglais) juin-août : tlj sf lun. 12h-15h (ttes les h) - fermé 24 juin - 80 SEK (7-18 ans 40 SEK).
Le pavillon de Gustave III (1792), dont l'intérieur est décoré avec raffinement dans le style gustavien, est un petit chef-d'œuvre.

Ekotemplet

Le **temple de l'Écho**, construit pour servir de salle à manger durant les soirées d'été, date de la même époque du pavillon.

Manoir

L'actuel roi de Suède, Charles XVI Gustave, y est né et y a passé son enfance. Le bâtiment date de 1804. Dans les années 1960 la Maison royale l'avait mis à disposition du gouvernement, qui l'a utilisé à l'occasion comme lieu de conférence et de réception. Depuis 2010 le château est la résidence de la princesse Victoria et du prince Daniel Westling.

Koppartälten

(Tentes de cuivre)
Les remarquables Koppartälten furent érigées en 1787 pour la Garde royale par le décorateur de théâtre français **Louis-Jean Desprez**. Le musée du parc est installé dans la tente du milieu tandis que la tente orientale héberge un petit café ouvert entre 11h et 16h, en haut d'une vaste pelouse *(www.koppartalten.se)*.

Fjärilshuset

(Serre des oiseaux et des papillons)
✆ 730 39 81 - www.fjarilshuset.se - avr.-sept. : 10h-17h ; oct.-mars : 10h-16h - 110 SEK (4-15 ans 50 SEK).
Au nord des tentes de cuivre, cette serre renferme 300 papillons tropicaux et 130 oiseaux exotiques au milieu desquels on se promène dans une chaleur toute tropicale. Café agréable.

Millesgården★★

(Parc Milles)

Ce musée de plein air perché au sommet de falaises abruptes fut la résidence du sculpteur Carl Milles (1875-1955) et de sa femme Olga. Les sculptures, pour l'essentiel copies d'œuvres que l'on peut admirer ailleurs, en Suède ou à l'étranger, forment un ensemble harmonieux avec les terrasses à l'italienne creusées dans la roche, les fontaines, les escaliers et les colonnes.

➔**Accès :** sur l'île de Lidingö, au nord-est de Stockholm. Ⓜ Ropsten, puis bus 203 en direction de Larsberg.

➔**Conseil :** vue magnifique jusqu'à Värtan où sont amarrés les ferries à destination de la Finlande.

Herserudsvägen 32 - ✆ 446 75 90 - www.millesgarden.se - mai-sept. : 11h-17h ; oct.-avr. : mar.-dim. 11h-17h - possibilité de visite guidée en français (1h) - 100 SEK.

Terrasses

On remarquera la belle *Fontaine Susanna* (terrasse supérieure), encadrée de saules pleureurs. Elle obtint le Grand Prix à la Foire internationale de Paris en 1925. De la terrasse médiane ornée d'une longue colonnade de granit, on aperçoit *Le Chantre du soleil*, au sommet d'une colonne. Les trois figures montées sur des dauphins symbolisent les arts. Lorsqu'il conçut la terrasse inférieure, Milles voulut que la silhouette de ses sculptures se détachât sur le ciel. **La Main de Dieu** (1954), l'une de ses œuvres les plus connues, a été reproduite dans divers pays. La *Fontaine d'Europe et du taureau* (original à Halmstad) et la puissante représentation de Poséidon (original à Göteborg) sont devenues des symboles de ces deux villes. Dans *L'Homme et Pégase* (1949), lancés en apesanteur à travers l'univers, Pégase est censé symboliser le génie de l'artiste. Une des œuvres maîtresses de Milles aux États-Unis est la *Fontaine de la foi* (1949-52), à Washington. Elle comporte plus de 30 figures, dont certaines copies ont été placées sur une petite terrasse près des *Anges musiciens* (1950).

Intérieur

Le bâtiment principal, qui date de 1908, fut transformé en musée en 1936. La galerie présente des œuvres de Milles en bronze et en marbre. Dans la Pièce rouge sont réunies de nombreuses petites sculptures réalisées par Milles au début de sa carrière. Olga et Carl Milles étaient des collectionneurs passionnés et l'on peut voir dans le salon de musique des toiles de Camille Pissarro et de Maurice Utrillo. La « cellule du moine » abrite des sculptures chinoises et la longue galerie de l'Est compte un grand nombre d'antiquités et de sculptures.

« La Main de Dieu », sculpture du parc Milles.

Ulriksdals Slott★

(Château d'Ulriksdal)

Le château d'Ulriksdal occupe un site attrayant dans une petite baie de la Baltique, au cœur du Nationalstadsparken (Parc national communal). Ce parc, qui va d'Ulriksdal à Djurgården en passant par Haga et Brunnsviken, fut en 1996 le premier Parc national communal au monde.

➔**Accès :** 9 km au nord. Ⓜ Bergshamra, puis bus 503 jusqu'à Ulriksdals Wärdshus, et de là, promenade de 500 m vers le château.
➔**Conseil :** le château permet de survoler l'art de la décoration intérieure du 17ᵉ au 20ᵉ s.

Le château

☎ 402 61 30 - www.kungahuset.se - ♿ - juin-sept. : tlj sf lun. 12h-16h - 80 SEK avec l'Orangerie (7-18 ans gratuit si accompagné).

Hans Jakob Kristler construisit entre 1639 et 1644 un palais à deux étages de style Renaissance hollandaise. L'édifice principal, flanqué de deux ailes indépendantes à un seul étage, fut doté d'encadrements de portes richement sculptés et de toits en dos d'âne. Vers 1720, **Carl Fredrik Adelcrantz** donna au palais un aspect plus baroque.
La décoration intérieure fut reprise au 19ᵉ s. sous le règne de Charles XV puis sous celui de Gustave VI Adolphe, dernier monarque à y avoir résidé. Son salon a été meublé dans les années 1920 par **Carl Malmsten** et constitue l'une des pièces les plus intéressantes du château.
Dans les alentours, il y a le café Svalkan, ouvert l'été, et l'auberge Ulriksdals Wärdshus, ouverte pour le déjeuner et le dîner. Café également dans le château.

Le parc

Le parc était vers la fin du 17ᵉ s. l'un des plus splendides jardins baroques de Suède. Beaucoup de cette superbe a disparu, mais le parc demeure très populaire et par beau temps, les gens viennent nombreux y pique-niquer. Il a subi de nombreuses transformations stylistiques au fil des siècles. Les haies de la partie sud datent du 18ᵉ s. Le long du ruisseau Igelbäcken, on aperçoit la sculpture de Maures ramenant leur filet, qui était auparavant à Haga, ou encore les grands sangliers de Carl Milles près de la fontaine.
Un sentier marqué de piquets jaunes mène à travers un joli bois et passe devant un site préhistorique avec des sépultures de l'âge de fer. Depuis le sommet de **Kvarnkullen** (la colline du moulin), on profite d'un beau point de vue sur la baie de Brunnsviken.

Slottskapellet★

(Chapelle palatine)

Plus bas, en descendant vers le lac.
Cette chapelle de 1865 témoigne d'une forte influence orientale. L'intérieur

recèle une profusion de décorations sculptées et peintes ainsi qu'un bel ensemble de vitraux de la collection privée du roi Charles XV.

Orangerimuseet

(Orangerie)

Sur le côté nord du parc - ✆ 402 61 30 - www.kungahuset.se - juin-sept. : tlj sf lun. 12h-16h - 80 SEK avec le château (7-18 ans gratuit si accompagné).

Tessin le Jeune dessina l'Orangerie en 1693 à la demande de la reine Hedvig Eleonora. Ses fruits très exclusifs venaient relever les repas royaux. En 1988, elle fut transformée en musée pour abriter la collection de sculpture suédoise allant du 18e jusqu'au début du 20e s. et appartenant au musée national des Beaux-Arts. En dépit de transformations successives, la touche de Nicodfemus Tessin domine.

Kröningsekipaget

(Écuries royales)

Sur la gauche de la route - ✆ 402 61 30 - www.kungahuset.se - juin-sept. : tlj sf lun. 12h-16h - entrée avec le billet du château.

La pièce la plus remarquable de la collection exposée dans les écuries est le carrosse utilisé par la reine Christine pour se rendre d'Ulriksdal à Stockholm lors de son couronnement en 1650. Ce fut l'un des mariages les plus somptueux de l'histoire de la royauté suédoise et de nombreuses commandes furent passées à Paris plusieurs années à l'avance. Le carrosse est une copie des années 1980, mais les luxueux tissus sont d'origine.

Confidencen

De l'autre côté de la route - ✆ 85 70 16 - www.confidencen.se - mai-sept.

En 1671, ce bâtiment fut destiné à servir à la fois d'école d'équitation et d'hôtellerie. **Carl Hårleman** remania l'extérieur vers 1740 et peu après, la reine Louise Ulrique fit réaménager l'intérieur en théâtre style rococo pour 200 personnes. Les travaux, dirigés par Adelcrantz, furent achevés en 1753, avant que ne soit aménagé le théâtre de Drottningholm 15 ans plus tard. C'est le plus ancien théâtre rococo du royaume conservé. Restauré, il est animé de mai à septembre par des concerts, des ballets et des opéras.

Bonus

Fête de la Saint-Jean (midsommar), Djurgården.

J. Modrak/Bilderberg/Photono

Pour en savoir plus

Les grandes dates

La calotte glaciaire s'est retirée de la région de Stockholm il y a environ 12 000 ans. D'abord enfouies sous l'eau, les îles qui ont formé la ville au Moyen Âge n'ont émergé il n'y a que 3 000 ans. La fondation de Stockholm sur l'île de Stadsholmen en 1252 est attribuée au régent **Birger Jarl**, qui fit construire les fortifications. Mais la ville avait déjà commencé à voir le jour quelques décennies plus tôt, dès le tout début du 13e s. Vers la fin du 13e s., les **moines franciscains** établissent leur monastère sur cette même île.

En 1336, **Magnus Eriksson** est couronné dans la cité, qui n'est pourtant pas encore la capitale. Stockholm obtiendra les privilèges d'une ville en 1436 et commencera alors à fonctionner comme **capitale**, fait qui ne sera officialisé que 200 ans plus tard en **1634**.

La période de l'**Union de Kalmar** est marquée par une lutte incessante pour le pouvoir entre d'importantes familles. Pour la première et dernière fois de son histoire, la capitale est occupée par une armée étrangère, épisode qui se termine par le **bain de sang de Stockholm** en 1520, peu après le couronnement du souverain danois Kristian II comme roi de Suède. Il faut attendre trois ans pour que **Gustave Vasa** chasse les Danois et lance dans la foulée l'établissement d'un vrai pouvoir central et d'un appareil d'État à Stockholm.

Avec l'arrivée des Vasa sur le trône, Stockholm devient le centre de l'administration suédoise. La cité déborde de ses murailles et il faut édifier de nouvelles fortifications.

C'est sous le règne (1611-1632) de **Gustave II Adolphe** que l'administration centrale est installée dans la cité. Les quartiers de Norrmalm et Södermalm voient le jour. À la mort de Gustave II sur le champ de bataille de Lützen, la Suède est devenue un empire. Après l'incendie du château en 1697, l'actuel Palais royal est terminé au milieu du 18e s. Stockholm compte alors 60 000 habitants.

Sous le règne de **Gustave III** (1772-1792), Stockholm s'ouvre aux Lumières et connaît un important développement culturel. De cette époque datent l'Académie des Arts et l'Opéra royal.

Alors que la première moitié du 19e s. est marquée par la stagnation et la pauvreté – l'espérance de vie est de 20 ans pour les hommes à Stockholm en 1850 –, vers 1860-1870, la capitale saute dans le train de l'industrialisation, un peu tardivement par rapport au reste de l'Europe.

L'inauguration du métro en 1950 coïncide avec le lancement d'un vaste plan d'urbanisme destiné à moderniser le centre-ville. En dépit des protestations, de nombreux quartiers anciens sont rasés. L'histoire récente de la capitale est également marquée par les assassinats du premier ministre **Olof Palme** en 1986 dans la rue Sveavägen, et de la ministre des Affaires étrangères **Anna Lindh** en 2003 dans le grand magasin NK.

Terrifiants Vikings

Les expéditions

Pendant plusieurs siècles, ils ont fait trembler l'Europe. Leurs raids violents et meurtriers remplissaient d'effroi les populations côtières d'Europe de l'Ouest et les Slaves des immenses plaines de la Russie. Et pourtant, au-delà de cet aspect « barbare » qui leur est resté attaché, ces marins hors pair firent œuvre de bâtisseurs, que ce soit en Normandie, en Angleterre et plus tard en Sicile, ou, beaucoup plus à l'est, en fondant à **Kiev** ce qui allait devenir l'empire des tsars.

L'**époque des Vikings**, qui s'étend de 800 à 1050, marque l'entrée de la Scandinavie dans l'histoire.

Même si le tempérament guerrier des Vikings explique en grande partie les sanglantes campagnes systématiques auxquelles ils se livrèrent, ces pratiques avaient aussi des mobiles économiques et démographiques. En effet, au début du 9e s., la Scandinavie connaît un accroissement démographique que ne peut compenser l'extension des terres agricoles, rendue impossible par la nature du pays. En outre, la **loi viking** faisant des fils aînés les seuls héritiers, les cadets sont obligés de quitter la maison familiale pour aller chercher fortune ailleurs. Cependant, c'est grâce au développement de leurs invincibles navires de guerre, les *langskips* (mieux connus à tort sous le nom de **drakkars**, qui désigne en fait la proue du navire, *drekki*), au faible tirant d'eau, que les Vikings peuvent mettre en pratique leur stratégie de raids consistant en attaques soudaines et rapides.

La société et sa religion

Les Vikings sont des agriculteurs et des artisans habiles, doués pour le travail des métaux. Dans les cités vikings, l'activité repose sur l'artisanat et le négoce.

Birka, située sur l'île de Björkö du lac Mälaren (près de Stockholm – T *p. 100*), est l'une des principales cités.

La société s'organise en trois classes sociales bien distinctes. L'**aristocratie**, composée de seigneurs fonciers, chefs de clans qui élisent le roi, également grand prêtre de la religion d'Odin.

Les **hommes libres**, pour la plupart paysans, se réunissent en assemblées qui font appliquer la loi et débattent des problèmes locaux. Enfin, les **esclaves** peuvent être condamnés de droit commun, débiteurs insolvables, ou étrangers capturés lors des raids.

La société viking est **polythéiste**. Sa mythologie complexe tente d'expliquer la création du monde et d'en prédire la fin. **Odin** est le dieu suprême, le dieu de la Guerre et des Guerriers morts au combat, mais il est également à l'origine des aspirations les plus nobles de l'homme. **Thor**, maître du tonnerre, est aussi un dieu guerrier, protecteur des Vikings ordinaires ; ses intercessions ont des résultats plus bénéfiques et il est plus populaire que le redoutable Odin.

Urbanisme et architecture

Stockholm est bâtie sur **quatorze îles** au beau milieu d'un archipel. Au fil des siècles, des terres ont été gagnées sur le **lac Mälaren**, dont les contours sont désormais bien plus rectilignes.
Au 13e s., l'île de Stadsholmen ne couvrait qu'un tiers de sa superficie actuelle, car les eaux du lac Mälaren et de la Baltique étaient beaucoup plus hautes. Cependant, même si au cours des 700 dernières années, la terre s'est soulevée d'environ trois mètres par un effet d'isostasie, la majeure partie de la superficie supplémentaire de la Vieille Ville a été récupérée par l'Homme.
En 1640 fut tracé le réseau de rues à angle droit encore existant ; des édifices de pierre et des palais imposants de style Renaissance tardif, inspirés de l'architecture allemande et hollandaise, furent érigés pour la plupart sur Blasieholmen, Riddarholmen et autour du Palais royal.

Une passion pour la culture française

Le règne (1771-1792) du roi **Gustave III** est caractérisé par une activité culturelle riche et variée, qui reflète la passion du monarque pour les arts, le théâtre et la culture française. Il est à l'origine du premier opéra de Stockholm.
Au 19e s., les inventions modernes telles que la machine à vapeur et la dynamite ouvrirent la voie à la révolution industrielle et, par là, à l'enrichissement, marqué par la construction des immeubles de l'avenue Strandvägen.

Au début du 20e s., Stockholm compte déjà 300 000 habitants et les faubourgs commencent à prendre forme. C'est un tournant pour Stockholm. À cette époque se développe le style appelé **« Swedish Grace »**, qui s'étend autant au design qu'à l'architecture. Il se caractérise par un classicisme léger et non dogmatique qui prend ses racines dans le rationalisme du 18e s. Architectes et artisans travaillent ensemble, dans les domaines du bois, des textiles ou des métaux. Chaque détail devient important, de l'entrée au balcon, de la porte d'ascenseur à la poignée.
La galerie de **Liljevalchs** en est un bel exemple, ou encore **Konserthus** (1926) ou la **Stadsbiblioteket** inaugurée en 1928, et mondialement connue.
La période de l'Entre-deux-guerres voit l'explosion du style **« funkis »**, qui va de pair avec la social-démocratisation du royaume et a laissé de très nombreux logements compacts, mais très bien pensés.
Aujourd'hui, Stockholm, **capitale verte**, de près de 850000 habitants, s'enorgueillit d'un mode de vie urbain respectueux de l'environnement. La cité lacustre d'Hammarby, dans le sud-est de la capitale, qui arrivera au terme de sa réalisation en 2017, illustre cette volonté. Construite sur une friche industrielle, cette zone qui fournira 10 000 logements pour 25 000 habitants et qui sera capable de recycler ses propres déchets, renoue avec un certain classicisme des matières qui font la renommée de l'architecture suédoise.

Le style gustavien

Il est l'un des précurseurs des relations franco-suédoises… Le style gustavien raconte mieux que bien des discours les liens tissés depuis longtemps entre les deux pays.
En 1771, le futur **Gustave III** quitte la cour de Versailles pour rejoindre la Suède où son père vient de mourir. Le jeune monarque est très influencé par les arts décoratifs et l'architecture, le style Louis XVI en l'occurrence, lui-même influencé par les fouilles de Pompéi qui avaient alors relancé le style néoclassique en Europe. Gustave III ira visiter Pompéi lors de son voyage en Italie en 1783-1784. De nombreux architectes et artisans de la cour de Stockholm, comme Rehn, Adelcrantz et les frères Masreliez, font le voyage.

Un style approprié

Les Suédois, dont le goût est moins porté aux styles baroque et rococo, ne se contentent pas de copier. Ils développent leur propre touche, plus claire, plus aérée et plus simple, comme c'est souvent le cas pour tout ce qui concerne le design scandinave.
Le style gustavien se distingue par une sobriété qui ne perd rien en élégance : symétrie, surfaces planes, lignes droites et couleurs claires en sont les principales caractéristiques. Sous le règne de Gustave III (1772-1792), la Suède se hisse à un niveau architectural jamais atteint grâce à ce style.
Le **pavillon de Gustave III**, dans le parc de Haga au nord de Stockholm *(T p. 101)*, est l'un des plus beaux exemples de style gustavien. Il a été construit pour servir de résidence au roi bien que la décoration intérieure de Louis Masreliez n'ait été achevée qu'en 1792, année du décès du roi. Le restaurant et hôtel Clas på Hörnet, dans le quartier de Norrmalm, est également remarquable.

Un style dans l'air du temps

Aujourd'hui, ce style est à nouveau en vogue, faisant des adeptes bien au-delà des frontières nordiques. Un intérieur gustavien se reconnaît à sa sobriété non dénuée d'un charme évident, alliant élégance et confort.

Beaucoup de reproductions sont réalisées, comme celle du fauteuil de Gripsholm, un modèle très carré aux accoudoirs un peu rebondis. Certains créateurs contemporains se réapproprient le style, tandis que la chaîne d'ameublement Ikea ne manqua pas de lancer sa collection « 18e s. ».

De nombreuses enchères proposent des collections d'inspiration gustavienne, un style qui s'impose parfois sous différentes dénominations, du « vrai style scandinave » jusqu'à englober tout ce qui est d'approche minimaliste, aux tonalités nuancées de rose, bleu, jaune, blanc et gris. Alors que les designers suédois font preuve d'une belle créativité *(T p. 113)*, la ligne gustavienne sert toujours de référence.

L'art moderne

Stockholm et la Suède en général doivent beaucoup à **Pontus Hultén**, qui dirigea notamment le Centre Pompidou. Directeur du musée d'Art moderne de Stockholm dans les années 1960, grand collectionneur, sa personnalité contribua grandement à placer l'art moderne suédois et Stockholm sur la carte culturelle mondiale.

T *Moderna Museet (Musée moderne), sur l'île de Skeppsholmen, p. 78.*

Figures emblématiques

Les grands artistes suédois sont des amoureux de la nature. **Carl Larsson** (1853-1919) acquit une immense popularité grâce à ses interprétations très détaillées de scènes de la vie quotidienne et à ses illustrations de livres d'enfants.

Anders Zorn (1860-1920), que l'on considère souvent comme le plus grand peintre suédois des temps modernes, fut un impressionniste tardif qui peignit des paysages de sa région natale, la Dalécarlie, immortalisant sur ses toiles la culture rurale qu'il aimait tant et dont les portraits à l'eau-forte sont célèbres pour l'énergie qu'ils dégagent.

Un de ses contemporains, **Eugen Jansson** (1862-1915), récemment « redécouvert » par les critiques d'art et dont le thème préféré fut la ville de Stockholm, ne fut jamais reconnu hors de Suède de son vivant.

La Suède eut également un sculpteur célèbre, **Carl Milles** (1875-1955), dont on peut voir les œuvres monumentales non seulement à Stockholm *(T p. 102)*, mais aussi aux États-Unis où il passa la dernière partie de sa vie à créer des fontaines majestueuses.

L'art sous terre

À Stockholm, l'art moderne s'apprécie beaucoup dans le métro, parfois considéré comme la plus longue galerie d'art moderne au monde. L'idée est née dans les années 1950, et cette « collection » continue de s'enrichir au fil du temps, au point qu'elle peut même se visiter avec un guide. 150 artistes ont contribué à faire du métro cette œuvre unique. À Skarpnäck, l'une des plus récentes stations, les sculptures en granit de l'Américain **Richard Nonas** servent de banc. Pour beaucoup, la station d'Östermalmstorg est la favorite. **Siri Derkert** l'a fait sienne en la couvrant de figures abstraites, de portraits, de textes sur les thèmes femmes et paix, sculptées dans le béton des murs ou les marbres des quais. Certaines stations appelées « stations-grottes » ont été construites dans les années 1970 et 1980 à « la va-vite », parfois par souci d'économie, et les parois rocheuses mises à nu lors des excavations ont été préservées, solidifiées et utilisées par les artistes, comme à T-Centralen. D'autres parois de stations fonctionnent comme lieux d'exposition temporaire, telles Zinkensdamm, Gärdet, Slussen ou Odenplan.

Le design suédois

Très populaire en Suède, le design s'est largement répandu notamment parce que les designers n'ont pas craint de travailler dans le monde de l'industrie ou de s'en inspirer. C'est sans doute l'un des aspects du pragmatisme à la suédoise. Le design peut et doit être beau, mais il doit avant tout être tourné vers l'utilisateur et se faire le miroir d'une certaine conception de la vie : accès au plus grand nombre, respect de l'écologie, formes épurées. Aujourd'hui, le design suédois est commercialisé à l'étranger comme le sont la musique pop ou la mode.

Le design suédois, et au-delà, scandinave, est reconnu dans le monde entier comme le symbole de l'harmonie entre fonctionnel et esthétique.

Son envol international s'est fait en deux vagues, qui se sont succédées au début du 20e s. : **Swedish Grace**, d'abord, dans les années 1910, qui puisait son inspiration dans un classicisme simple ancré dans le 18e s., puis **Swedish Modern**, qui fut lancé lors de l'Exposition de Stockholm en 1930, mais explosa lors de l'Exposition internationale de Paris en 1937, et qui marqua l'émergence de la modernité, à mi-chemin entre le fonctionnalisme des années 1930 et ce qui sera le design scandinave dans les années 1950. C'est là, lorsque se développe l'état-providence dans tous les recoins de la société suédoise en pleine transformation, que prend forme ce design qui s'appuie sur la production de masse et sur de nouveaux matériaux industriels comme l'acier, le béton ou le verre. Mieux, le design se doit d'être démocratique. C'est au nom de ce mot d'ordre soigneusement emballé qu'**Ikea** va prospérer, surfant sur la vague de l'idéal social-démocrate dont les représentants seront au pouvoir de façon quasi ininterrompue pendant 70 ans. La beauté pour tous. Dans les années 1960 et 1970, toute la société a été convertie à la solidarité. On se donnait bonne conscience en achetant à prix bas. D'où le succès d'Ikea et d'**H & M**. Et une large diffusion du design. Dans les années 1980 et 1990, une nouvelle génération de designers a accompagné une plus grande ouverture de la Suède au monde. On a vu par exemple des designers marquer de leur empreinte de nombreux restaurants comme **Jonas Bohlin**, designer du Sturehof ou de Rolfs Kök, avec son collègue **Thomas Sandell**.

En 2001, l'artisane **Zandra Ahl** jette un pavé dans la mare en remettant en cause ce qu'elle appelle les « mythes » du bon goût suédois qui tournent autour des concepts de blondeur, de pureté et de minimalisme. Elle se réclame d'une tradition décorative face au dogme dominant dans la région qui veut que la forme suive la fonction. Une nouvelle génération de jeunes designers tente ainsi de faire glisser le design industriel vers l'art contemporain, comme les jeunes créatrices de **Front**. Mais il faut bien l'admettre, le mythe a la peau dure.

Du conte au polar

Le dramaturge **August Strindberg** (1849-1912) demeure l'écrivain suédois le plus important. Son œuvre, marquée par l'influence du Norvégien Ibsen, révèle une analyse obsessionnelle de la psychologie de ses personnages qui fit de lui le précurseur du surréalisme avec, entre autres, *Le Songe*, publié en 1901.
D'inspiration totalement différente, **Selma Lagerlöf** (1858-1940), dont Marguerite Yourcenar disait : « Parmi les femmes de grand talent ou de génie, aucune à mon sens ne se situe plus haut », devint célèbre grâce à un conte féerique, *Le Merveilleux Voyage de Nils Holgersson*, dans lequel elle décrit les merveilles de son pays natal.
Au 20e s., **Pär Lagerkvist** (1891-1974) laisse une œuvre romanesque (*Le Nain,* 1944, *Barabbas,* 1950), poétique et dramatique, imprégnée d'un profond pessimisme, tandis que **Stig Dagerman** (1923-1954) écrit des romans empreints d'un réalisme cruel.
De son côté, le romancier contemporain **Per Olov Enquist** (1934), indiscutable monument des lettres suédoises, décrit avec lucidité le conflit entre l'individu et la société. Son dernier livre, *Une autre vie*, récit autobiographique, raconte sa détresse passée face à l'alcool.
La littérature pour enfants s'est développée sous la plume d'une nouvelle génération d'écrivains avec à sa tête **Astrid Lindgren** (1907-2002), créatrice de *Pippi Långstrump (Fifi Brindacier)*, objet d'un véritable culte en Suède. Les aventures de cette petite fille à la force surhumaine et qui se moque de l'autorité permettent de tracer un tableau plein d'humour de la société suédoise.
La Suède, terre de grands espaces où l'on craint Dieu, compte de nombreux poètes tels **Torgny Lindgren** et **Tomas Tranströmer**.
Mais c'est à travers le polar que la société policée des pays scandinaves s'est distinguée ces dernières années. En Suède, Stockholm sert de cadre aux enquêtes du commissaire dépressif Martin Beck créé par **Peter Sjowall** et **Mäg Wällö**. **Henning Mankell** fait évoluer son commissaire Kurt Wallander dans les rues d'Ystad, dans le sud du royaume. Le journaliste suédois **Stieg Larsson** a connu un succès planétaire avec les aventures du reporter Mikael Blomkvist et de la hackeuse asociale Lisbet Salander, dans sa série *Millenium*. L'auteur s'est inspiré de plusieurs personnages d'Astrid Lindgren. Lisbeth Salander est ainsi une version post-moderne de Fifi Brindacier. Une partie de l'action se déroule à Stockholm. Larsson fait habiter tous les « gentils » de ses livres sur l'île de Södermalm, l'île branchée et bohème du sud de la capitale, où il habitait lui-même, tandis que les « méchants » logent à Norrmalm ou à Östermalm, le quartier huppé... Suivant l'engouement, d'autres auteurs de polars assurent la relève, même si la qualité n'est pas toujours au rendez-vous. **Camilla Läckberg**, valeur montante, arrive en tête des ventes.

Le cinéma

Le cinéma suédois a connu deux périodes d'or. La première dans les années 1920 avec le cinéma muet de **Victor Sjöström** (1879-1960), qui tourna *La Lettre écarlate* aux États-Unis en 1926, et **Mauritz Stiller**. Tous deux émigrèrent à Hollywood.

L'autre période faste donna naissance dans les années 1960 à un cinéma radical avec **Bo Widerwerg**, qui lança le mouvement en publiant en 1962 sa « Vision dans le cinéma suédois ». Il entraîna à sa suite **Roy Andersson**, **Mai Zetterling** et **Jan Troell**.

Un maître incontesté

L'ombre d'**Ingmar Bergman** (1918-2007) plane sur tout le 7e art suédois. Metteur en scène pour l'opéra et le théâtre, il acquit une réputation mondiale en tant que cinéaste. Abordant les difficultés de la vie de couple, *Monika* (1952), *Sourires d'une nuit d'été* (1955), il élargit sa réflexion au Bien et au Mal. Sa carrière est alors jalonnée de chefs-d'œuvre souvent austères – *Le Septième Sceau* (1956), *Les Fraises sauvages* (1957) – s'inspirant parfois du cinéma japonais – *La Source* (1960) –, où l'interrogation métaphysique s'exerce à travers une observation clinique des personnages : *À travers le miroir* (1961), *Les Communiants* (1962) et *Le Silence* (1963). Puis elle évolue vers une investigation analytique avec *Persona* (1966) et *L'Heure du loup* (1967), œuvres très épurées. Ses derniers films, notamment *Scènes de la vie conjugale* (1973) et *Fanny et Alexandre* (1982), témoignent de la tendresse pour l'être humain.

Stars internationales

La mythique **Greta Garbo** (1905-1990), alias « La divine », brille au firmament des acteurs suédois. **Ingrid Bergman** (1915-1982) a aussi marqué l'imaginaire des cinéphiles avec ses rôles dans *Casablanca* ou *Sonate d'automne* (de Bergman). Plusieurs interprètes des films d'Ingmar Bergman comme **Max von Sydow** ou **Bibi Anderson** ont bâti de brillantes carrières internationales, et d'autres encore comme **Peter Stormare** et **Lena Olin**. Plus récemment, **Noomi Rapace**, qui incarne Lisbeth Salander dans la série *Millenium* *(T p. 114)* et **Alexander Skarsgård**.

Le 7e art du 21e s.

Aujourd'hui, le cinéma suédois trouve une nouvelle jeunesse avec une pléiade de réalisateurs : **Lasse Hallström** (*Ma vie de chien*, 1985), **Lisa Ohlin** (*En attendant le ténor*, 1994), **Roy Andersson** (*Chansons du deuxième étage*), **Lukas Moodysson** à l'humour parfois grinçant (*Together*, 2000, *Fucking Åmål*, 1998, qui décrit la vie de jeunes adolescentes dans une petite ville perdue de Suède), ou encore **Tomas Alfredson** (*Morse*, 2008 ; *La Taupe*, 2011) et **Mikael Marcimain**, un jeune réalisateur (*Lasermannen*, 2005 ; *Call girl*, 2012).

Les rois de la pop

Indispensable pour bien s'intégrer dans un dîner avec des Suédois : apprendre par cœur une ou deux strophes du groupe ABBA. En Suède, la pop est un véritable phénomène de société. Il suffit de voir l'hystérie qui entoure le **Melodifestivalen**. Ces qualifications pour le concours européen de la chanson, l'Eurovision, avec plusieurs phases éliminatoires pour faire durer le plaisir, sont l'un des programmes télévisés les plus populaires du royaume. Elles sont largement relayées par la presse, la plus sérieuse soit-elle. Car en Suède, la pop, c'est du sérieux.

Des initiales mythiques

Les responsables en sont les quatre interprètes de feu le groupe **ABBA** (Agnetha, Björn, Benny et Annifrid) qui devint célèbre après son succès au concours de l'Eurovision de 1974 avec *Waterloo* et occupa à plusieurs reprises le premier rang des hit-parades dans les années 1970 et 1980 grâce à des chansons telles que *Mamma Mia*, *Knowing Me Knowing You*, *Voulez-vous* ou *Super Trouper*. Considéré comme le groupe le plus populaire d'Europe après les Beatles, ABBA continue à être une valeur sûre (en termes de vente de disques) près de 25 ans après la séparation du groupe…

La relève

D'autres groupes lui emboîtèrent le pas avec succès comme le groupe de hard-rock **Europe**, qui grimpa au premier rang des hit-parades mondiaux en 1986 avec *The Final Countdown*. Vint ensuite le groupe **Roxette**, fondé en 1986, et dont les membres, Per Gessle et Marie Fredriksson, qui ont aussi mené une carrière en solo, ont marqué les mémoires. La génération 1990 comprend **Dr Alban** (hip hop), **Eric Gadd** (soul), ainsi que des groupes tels que **Ace of Base** et surtout **The Cardigans**, **The Hives**, sans oublier, parmi les derniers en date, les jeunes sœurs Söderberg du groupe **First Aid Kit**.

Une industrie florissante

Les succès ne cessant de se multiplier, la musique populaire se situe actuellement parmi les premières industries d'exportation de la Suède : depuis quinze ans, son chiffre d'affaires à l'exportation a augmenté deux fois plus vite que celui du reste de l'économie suédoise ! L'un des principaux facteurs de leur succès est l'existence d'une école de musique dans presque toutes les communes ; ainsi, un grand nombre des stars actuelles ont fait leur apprentissage dans ces établissements. Une toute petite ville du fin fond du grand nord, Robertsfors, a vu émerger **Sahara Hotnights** ; The Hives viennent de Fagersta et **Wannadies** de Skellefteå, également dans le nord. Le fait que la musique populaire suédoise soit anglophone est aussi porteur…

Place à la fête !

Fêtes d'été

En Suède, beaucoup de fêtes sont intimement liées au rythme de la nature. Leurs origines remontent souvent aux traditions païennes, comme la **Saint-Jean**, jour du solstice d'été, où l'on se pare du folklorique costume aux couleurs vives, l'on mange, boit et danse sous le mat garni de fleurs des champs, aux sons d'airs anciens. Sa célébration la plus traditionnelle se déroule dans le parc de Skansen, sur l'île de Djurgården, à Stockholm *(T p. 90)*. Cette fête de **Midsommar** (littéralement, le « milieu de l'été ») est le point d'orgue des festivités en Suède, véritable hymne à la vie, à la lumière et à la vigueur après des mois d'obscurité et de froid pendant lesquels les Suédois se recroquevillent sur eux-mêmes. Ce n'est sans doute pas un hasard si la Suède enregistre le plus de naissances au mois de mars, soit neuf mois après la Midsommar…

Fêtes de lumières

Au mois d'août, la **fête de l'écrevisse** est devenue un rituel qui marque la fin de l'été (la saison se termine souvent tôt en Suède, même à Stockholm).
Les Suédois sont également de grands adeptes de la **Walpurgis** (Valborg en suédois), célébrée le 30 avril. Partout dans Stockholm, de grands feux sont allumés, où sont brûlées toutes sortes de restes de bois (sapins de Noël, bouts de clôtures, cageots, branches, etc). Des chorales sont souvent sollicitées. La Walpurgis marque également le début d'une période de festivités pour les élèves de terminale.
Lumière toujours quand les Suédois allument des bougies pour l'**Avent** et vouent un culte à une **sainte Lucie** vêtue de blanc et auréolée de lumière lors des défilés du 13 décembre.
Les fêtes de Noël, connues sous le nom de **Jul**, sont restées plus proches de la tradition dans les campagnes qu'en ville : les convives lèvent leurs verres le soir de Noël en prononçant le célèbre *skål*, comme le faisaient il y a mille ans leurs ancêtres vikings. Une profusion de décorations colorées, où dominent le rouge et le vert, éclaire cette période, d'autant qu'il s'agit de compenser le cruel manque de lumière qui commence à se faire durement sentir dès la fin du mois d'octobre à Stockholm. Le repas de Noël se compose de poisson, de porc et de gâteaux aux fruits secs… tandis que le lutin de Noël distribue les cadeaux. Les Suédois, qui célèbrent Noël le 24 décembre, regardent traditionnellement une émission de dessins animés de Disney.

Et fête nationale

Enfin, la fête nationale est une invention récente en Suède. Célébrée le **6 juin**, jour du drapeau, elle a été instaurée il y a moins de trois décennies et est devenue jour férié en 2005 seulement, plus pour faire « comme les autres » que par engouement nationaliste. Elle n'est d'ailleurs pas ancrée dans la population.

Vivre à la suédoise

Interrogez n'importe quel expatrié « du continent » ou « d'Europe » (c'est encore ainsi que beaucoup de Suédois décrivent les pays au sud de chez eux) qui a vécu quelques années à Stockholm et vous comprendrez tout à son regard plein de nostalgie. C'est d'autant plus vrai pour ceux qui ont des enfants. Vivre à la suédoise, c'est (tenter de) ne pas devenir esclave de son travail. Le rythme de vie est organisé de telle façon que les Suédois commencent tôt leur journée de travail afin de finir vers 16 ou 17h. Dès l'arrivée des beaux jours, au mois d'avril, ils peuvent même s'arranger pour terminer encore plus tôt, notamment le vendredi où il devient hasardeux d'essayer de trouver quelqu'un au bureau l'après-midi. Insouciance direz-vous ? Après avoir vécu quelques années en Suède et expérimenté l'automne noir et l'hiver froid, on est plus indulgent pour ce besoin de régénération.

Rester tard pour se faire bien voir du patron n'est pas dans les habitudes. Les Suédois attachent beaucoup d'importance à leurs loisirs et à leur vie de famille. Vivre à la suédoise, de nombreux étrangers l'ont constaté, c'est donc avoir une approche plus apaisée de la vie. Le Suédois est tout autant ancré dans la modernité que dans les traditions. Les hiérarchies existent, mais elles sont souvent très horizontales. Le tutoiement de rigueur a aidé depuis des décennies à faire tomber bon nombre de barrières sociales.

La Suède, pays largement sécularisé, est toutefois encore très imprégnée de morale luthérienne, ce qui implique un sens aigu de la responsabilité. Les Suédois ne sont pas des saints, mais force est de constater qu'ils sont globalement respectueux des lois, de leur environnement, de leurs enfants, voire des gens en général, ce qui peut facilement passer pour de la réserve. Sachez-le, la fessée est illégale. Depuis 2000, l'achat de services sexuels est puni par la loi, mais pas la prostitution elle-même. Une façon de marquer que la femme est victime dans une société où le féminisme et l'égalité entre les hommes et les femmes demeurent un filtre essentiel pour aborder de nombreux sujets. Les blagues sexistes sont quasiment impensables. Les Suédois fuient souvent les conflits, se méfient des gens qui parlent haut et fort, sauf si c'est après plusieurs verres de *snaps*, où plus personne ne se soucie des apparences et où tout le monde aura de toute façon tout oublié le lendemain.

Les Suédois ont une croyance quasi infaillible dans le fait que leur fameux modèle suédois est le mode de société le plus accompli au monde. La notion de *folkhemmet* (la maison du peuple), portée par les sociaux-démocrates depuis les années 1930 pour dessiner leur vision de société d'état-providence, est ainsi centrale pour comprendre le Suédois d'aujourd'hui. Elle imprègne jusqu'aux partis de droite, qui en font largement usage.

Saveurs scandinaves

La cuisine suédoise s'accorde souvent aux saisons. Sa préparation et ses assaisonnements s'inspirent des modes de conservation des aliments qui étaient indispensables dans la société rurale d'autrefois : hareng ou saumon mariné, viandes salées ou fumées (comme le renne), fromages et produits laitiers cuits ou affinés de diverses manières.
Ce n'est pas faire injure aux Suédois que de dire que le pays ne se distingue pas par une grande tradition gastronomique. Et pourtant, les Suédois apprécient la bonne chaire et le royaume compte nombre d'excellents chefs qui savent mettre en valeur des produits du terroir de bonne qualité.
Les Suédois adorent le **smörgåsbord**, buffet qui se pratique sans modération à Noël, à Pâques et à la Saint-Jean. Gare aux lendemains douloureux la première fois où vous êtes confronté à cette débauche de nourriture où s'entassent poissons, saumons marinés, harengs dans des sauces à l'oignon ou à la moutarde sucrée, viandes, jambon grillé au miel, légumes, fromages et desserts. Il y en a à profusion et pour toutes les papilles.
Le quotidien des Suédois est plus simple. Mais vous ne sauriez éviter les **boulettes de viande aux airelles**, le boudin noir, sucré lui aussi, accompagné d'airelles et de lait, les galettes, le fameux **pyttipanna**, composé de dés de pommes de terre, d'oignons et de viande. Ou encore la soupe aux pois, végétarienne ou avec des lardons.
Si vous souhaitez vraiment impressionner (ou fâcher) vos amis, vous ne pouvez manquer, fin août, le **surströmming**, hareng fermenté de la Baltique. Son odeur est tout simplement épouvantable, ce qui n'est évidemment pas l'avis des adeptes. Un conseil : ouvrez les boîtes dehors (les initiés plongent la boîte au fond d'un seau rempli d'eau avant de l'ouvrir).
Ce hareng se mange sur du pain fin et dur, beurré, accompagné de pommes de terre en amande et d'oignon haché. Rassurez-vous, ce n'est pas un produit de consommation courante, et il aurait tout autant sa place à la rubrique « folklore ».
Également marqués temporellement, car généralement proposés l'hiver, les brioches au safran, **saffransbullar**, et les pains d'épice, **pepparkakor**, sont des saveurs très suédoises qui embaument la période de Noël.
À noter aussi, le **Biff à la Lindström**, mélange de steak haché et de betteraves ; le **Wallenbergare**, un plat généralement préparé avec du gibier, élan ou chevreuil, que l'on chasse abondamment en automne. La pomme de terre, qui fut très longtemps l'aliment de base en Suède, est encore largement utilisée dans le **raggmunk**, des galettes de pommes de terre rissolées au beurre et servies avec du lard frit et des airelles. Airelles, encore et toujours. En automne, certains Stockholmois adorent courir la forêt pour ramasser baies et champignons, eux aussi compagnons indispensables des assiettes suédoises.

Collection Le Guide Vert sous la responsabilité de Philippe Orain

Édition	Anne Duquénoy
Rédaction	Olivier Truc, Maura Marca, Elisabeth Morris, Pierre Plantier
Cartographie	Stéphane Anton, Michèle Cana, Géraldine Deplante, Isabelle Delouvy Plan détachable réalisé d'après les données TeleAtlas. © TeleAtlas 2012
Remerciements	Didier Broussard, Marie Simonet
Conception graphique	Laurent Muller (couverture et maquette intérieure)
Régie publicitaire et partenariats	business-solutions@tp.michelin.com *Le contenu des pages de publicité insérées dans ce guide n'engage que la responsabilité des annonceurs.*
QR Codes	QR Code est une marque déposée de Denso Wave Incorporated.
Contacts	Michelin Guides touristiques 27 cours de l'Île Seguin, 92100 Boulogne-Billancourt Service consommateurs : tourisme@tp.michelin.com Boutique en ligne : www.michelin-boutique.com http://voyage.michelin.fr

Parution 2014

Michelin Travel Partner
Société par actions simplifiées au capital de 11 288 880 EUR
27 Cours de l'Ile Seguin - 92100 Boulogne Billancourt (France)
R.C.S. Nanterre 433 677 721

Dépôt légal : 01-2014 – ISSN 0293-9436
Compograveur : Michelin Travel Partner, Boulogne-Billancourt
Imprimeur : Printer Trento, Trento (Italie)
Imprimé en Italie : 12-2013

Usine certifiée 14001
Sur du papier issu de forêts gérées durablement (100% PEFC)

Écrivez-nous